P A S S E P A R T O U T

21

Introduzione: Giuseppe Dino Baldi
Traduzione: Angela Cerinotti
Edizione del testo greco e latino e note: Brigitta Sartini

www.giunti.it

Via Bolognese 165 – 50139 Firenze – Italia
Piazza Virgilio 4 – 20123 Milano – Italia
Prima edizione: gennaio 2017
Terza ristampa: giugno 2020

Stampato presso Rotolito S.p.A. Seggiano di Poltiello (Mi)

Epicuro

LETTERA SULLA FELICITÀ
e altri scritti

Seneca

LA VITA FELICE

Introduzione di
Giuseppe Dino Baldi

Testo greco e latino a fronte

DEMETRA

Giuseppe Dino Baldi
presenta in 10 parole chiave
Lettera sulla felicità e altri
scritti di Epicuro
e *La vita felice* di Seneca

1
CADUCITÀ
2
MEDICINA
3
PIACERE
4
ACCONTENTARSI
5
VIRTÙ
6
CARICATURA
7
COMPROMESSO
8
APPARTARSI
9
DIO
10
MORTE

1
CADUCITÀ

«Tutti vogliono vivere felici, ma non vedono con chiarezza che cosa renda la vita felice»: così inizia il *De vita beata* di Seneca. Oggi se possibile abbiamo la vista ancora più offuscata: esiste davvero la felicità, o è solo il nome dato a un'aspirazione irraggiungibile? E se esiste, come la si riconosce? Nasce da dentro o viene da fuori? Si può vivere una vita interamente felice, o si è felici solo a tratti e in maniera imperfetta? E ancora: la felicità si può insegnare? È un dono o una conquista?

Nelle *Storie* (I, 30), Erodoto racconta che Creso, re di Lidia, un uomo tanto ricco da finire in proverbio, chiese a Solone di Atene chi fosse per lui l'uomo più felice del mondo. «Ce l'ho davanti agli occhi», avrebbe dovuto rispondere Solone secondo la logica reale. E invece al primo posto mise un certo Tello di Atene, che ebbe figli belli e buoni, nipoti altrettali e cadde gloriosamente in battaglia. «E dopo?», domandò Creso che sperava ancora. Dopo di lui, disse Solone, i più felici furono Cleobi e Bitone, i fratelli di Argo forti e generosi, per i quali la madre, sacerdotessa di Era, chiese alla dea la sorte migliore che si possa augurare a un uomo, e fu così che entrambi si addormentarono nel tempio e non si

svegliarono più. La ricchezza, proseguì, non è abbastanza: «ora sei felice, ma domani chissà; tutto è incerto nell'esistenza umana». E dunque, si chiede Aristotele citando questo brano (*Etica nicomachea,* I, 10), nessun uomo finché vive può essere considerato felice? No di certo. Il pessimismo di Erodoto, dichiarato nell'epoca di massimo splendore della civiltà greca, da Platone in poi viene assorbito all'interno di una riflessione filosofica che, nelle sue varie declinazioni, mira proprio a emancipare gli uomini dalla loro *caducità*, spostando l'asse della cura di sé dal corpo allo spirito. Lo stesso Epicuro riporta i versi che meglio sintetizzano la visione tragica greca («bello il non esser nati, ma, nati, varcare al più presto le porte dell'Ade», *Lettera sulla felicità,* 126) proprio per confutarli, segnando così la distanza più netta dall'etica tradizionale.

Seguendo questa strada, la felicità diventa qualcosa che si può cercare, promettere e in qualche misura anche programmare. Thomas Jefferson, che si diceva epicureo e aveva collezionato non meno di cinque edizioni latine di Lucrezio, nella Dichiarazione di Indipendenza americana del 1776 volle inserire proprio la ricerca della felicità fra i diritti inalienabili dell'uomo insieme alla vita e alla libertà, e ai giorni nostri si cerca addirittura di misurarla, la felicità, sostituendo il prodotto interno lordo, che valuta il benessere in un senso puramente quantitativo, con un indice che prenda in considerazione la salute, l'istruzione, la conciliazione tra lavoro e tempi di vita, le relazioni sociali, l'ambiente e così via, fino a disegnare un modello di felicità sociale. Ma è proprio questa distanza tra una felicità oggettiva e la felicità individuale («barlume che vacilla al piede, teso ghiaccio che s'incrina», la chiama Montale) a rendere tutto molto complicato, e a volte anche un po' ridicolo.

2
MEDICINA

La pubblicità ad esempio è interamente costruita sul mito della felicità, e sul presupposto che un'auto, un profumo, una gomma da masticare possiedano la virtù intrinseca di far star bene con se stessi e con gli altri. Al contrario, per Epicuro come per Seneca la felicità nasce dal togliere, non dall'accumulare. Si eliminano uno a uno gli strati che ci avvolgono finché si arriva al cuore dell'umano, e diventa allora chiaro cosa serve per essere felici (molto poco) e per diventare, allo stesso tempo, delle persone migliori.

In fondo, tutto nasce da una semplice intuizione socratica: anche l'anima si ammala come il corpo, e la sua *medicina* è la filosofia; una filosofia che non cura le sofferenze dell'anima è inutile quanto un medico che non guarisce le malattie del corpo. Filosofia e felicità (così come filosofia e saggezza) sono dunque sinonimi: «Chi dice che non è ancora giunta l'età per la filosofia o che l'età è già passata è simile a chi dice che non è ancora giunta o è già passata l'età per la felicità», scrive Epicuro al principio della sua lettera.

L'idea che la filosofia antica sia stata prima di tutto una disciplina teoretica impegnata nell'elaborare un sistema di idee astratte sul mondo è sostanzialmente falsa, e resiste ormai solo in qualche aula scolastica. Pierre Hadot (ad esempio in *Che cos'è la filosofia antica*, Einaudi, 1998) e con lui Michel Foucault (ad esempio in *Tecnologie del sé*, Bollati Boringhieri, 1992) hanno insistito molto sul fatto che nell'antichità era filosofo non tanto chi costruiva teorie coerenti sul mondo, quanto colui che viveva filo-

soficamente; la filosofia era prima di tutto un'"arte dell'esistenza", un insieme di tecniche e precetti di conoscenza che avevano lo scopo di rendere l'individuo adeguato a se stesso e al mondo. Questa coerenza fra sistema di idee e pratica di vita si applica a maggior ragione alle scuole che si contesero il primato in epoca ellenistica (Accademia, Peripato, Stoà, Giardino): la vita stessa dello scolarca era, o tutti si aspettavano che fosse, la prova sperimentale che quella filosofia rappresentava una concreta opzione esistenziale. Non che manchi alla filosofia ellenistica sistematicità e forza speculativa: la fisica e la metafisica non finiscono certo con Aristotele; ma sono subordinate ancora più chiaramente a una finalità etica e pratica: «se non ci turbassero i timori delle cose celesti e della morte, nel dubbio che possano avere qualche relazione con noi, e la non conoscenza dei limiti dei dolori e dei desideri, non avremmo bisogno di una scienza della natura», scrive Epicuro (Massima XI), che pure fu autore di un lungo trattato *Sulla natura*, così come Seneca, il maggior esponente del neostoicismo romano, scrisse sette libri di *Questioni naturali* proprio con lo scopo di liberare l'uomo dalle paure che nascono da false credenze sul mondo.

È forse un paradigma troppo semplice, per il nostro cielo interiore così complesso e così inquinato? Gianni Celati ha scritto che Leopardi è ancora un nostro compagno di strada perché è un alieno rispetto allo sfondo in cui siamo immersi. La stessa cosa si può dire degli antichi: ci sono vicini perché sono lontani, così lontani da costringerci a pensare.

3
PIACERE

Tutte le scuole filosofiche del periodo ellenistico, comprese le loro varianti romane, hanno almeno un principio in comune: per essere felice l'uomo ha bisogno solo di se stesso, purché disponga di un'anima perfettamente tranquilla e libera da turbamenti (il termine filosofico è *atarassìa*). Differiscono, lo vedremo, sul modo in cui si può raggiungere questa tranquillità; ma concordano di nuovo sul principio che è l'ignoranza delle cose a causare l'ansia di vivere. Ecco dunque che alla base della filosofia di Epicuro c'è il cosiddetto *tetrafarmaco*, la terapia filosofica che cura le paure dell'anima attraverso la pratica costante di quattro principi fondamentali: non bisogna temere gli dèi; non bisogna temere la morte; il dolore dura poco o è facile da sopportare; il *piacere* è alla portata di tutti.

L'istinto primordiale porta ogni essere vivente a cercare il piacere e fuggire il dolore. «Il piacere è il principio e termine del vivere felici» (*Lettera*, 128): questo è il punto centrale della dottrina epicurea. E tuttavia l'edonismo di Epicuro sembra fatto apposta per deprimere i gaudenti («sobrio e austero», lo chiama lo stesso Seneca), e ancora una volta va per sottrazione: il piacere è lo stato in cui ci troviamo nel momento in cui vengono rimossi gli ostacoli che si oppongono al libero fluire della vita, vale a dire le paure (della morte, di Dio, dell'aldilà, del dolore) e i desideri troppo ingombranti.

Il dolore fisico ad esempio è un nulla: se è continuo è è anche sopportabile, perché è lieve o perché si guarda alla guarigione; se non è sopportabile dura poco, oppure arriva la morte a liberarcene (nei tempi antichi le malattie

mortali erano mortali per davvero: non esisteva l'accanimento terapeutico a prolungare indefinitamente sofferenze atroci).

Quanto ai piaceri, anche in questo caso Epicuro ci ha lasciato un prontuario che è allo stesso tempo un breviario esistenziale: prima vengono i piaceri naturali e necessari, come il mangiare e il bere, poi i piaceri ancora naturali ma non necessari, come il cibo raffinato, o il desiderio sessuale, infine i piaceri che non sono né naturali né necessari, e sono la maggioranza: l'accumulo di denaro, il potere, la gloria; ma oggi potremmo dire l'auto di lusso, una casa grande, le vacanze esotiche, gli abiti firmati, la palestra, la carriera: tutti i piaceri attorno ai quali costruiamo i nostri piccoli o grandi progetti di felicità terrena, che procurano eccitazione violenta e sono pesanti come macigni, oppure fuggevoli come il vento.

4
ACCONTENTARSI

A questi piaceri dinamici, che non colmano mai la misura, Epicuro contrappone i piaceri naturali e per loro natura stabili; un uomo che non ha fame, non ha sete e non ha freddo può competere in felicità con lo stesso Dio, perché ha tutto ciò che gli serve: «Non aumenta il piacere nella carne una volta che sia stato tolto del tutto il dolore per ciò che mancava, ma semplicemente varia» (Massima XVIII). E la natura, nella sua infinita saggezza, ha disposto le cose in modo che il necessario sia facile da raggiungere, mentre al superfluo conduce una strada perversa e accidentata.

Le filosofie ellenistiche furono pressoché tutte, seppure a livelli diversi di radicalità, profondamente anticonsumistiche: per Epicuro in particolare (Seneca, che era ricchissimo, su questo punto ebbe qualche incertezza) i beni materiali, con i desideri smisurati che ne derivano, sono uno dei principali ostacoli alla felicità: «La povertà rapportata ai limiti che pone la natura è una grande ricchezza; la ricchezza che non si ponga un limite è grande povertà» (Sentenza 25).

Eppure in origine la felicità era qualcosa di molto concreto, e l'etimologia lo conferma. La parola latina *felicitas* risale a una radice indoeuropea (la stessa di fecondo, femmina, fertile) che ha il valore di "abbondanza". Seneca nel titolo del suo dialogo utilizza l'aggettivo *beatus*, che con *beatitudo* avrà particolare fortuna nel lessico cristiano, ed equivale sostanzialmente a pieno, ricolmo, e quindi ricco. Il corrispondente greco nello stesso ambito semantico è *òlbios*; ma la parola più interessante è *eudaimonía*, che vuol dire «possedere un buon demone», avere la divinità dalla propria parte: la felicità è un bene assegnato a discrezione da una potenza superiore, e l'uomo non può fare nulla se non ingraziarsi gli dèi con atti rituali.

Sia in greco che in latino i termini designano dunque una condizione oggettiva di benessere materiale strettamente dipendente dalla fortuna (da cui deriva, secondo la lezione soloniana, la perenne insicurezza esistenziale dell'uomo esposto ai giochi crudeli degli dèi e agli assalti del caso), e restituiscono poco o nulla del significato che il termine "felicità" ha oggi nelle lingue romanze. Già nell'ultima parte dell'epoca classica, come si è visto, il significato originario non corrispondeva più alle nuove convinzioni etiche, che definirono modelli alternativi di

felicità filosofica tutti centrati sull'assegnare all'uomo una sempre maggior responsabilità nella costruzione del proprio destino. Dunque non è felice l'uomo ricco di beni, ma l'uomo saggio, che sa *accontentarsi*, e la parola *dàimon* da Socrate in poi diventa sempre più un sinonimo di "anima".

Progressivamente, in un ampio movimento che va da Socrate al cristianesimo, ma che esclude nel suo abbraccio il materialismo epicureo, il rifiuto delle ricchezze si colora di disprezzo per la vita terrena. La parola chiave, che punteggia questo percorso da fuori a dentro, e poi di nuovo verso la trascendenza, è "virtù".

5
VIRTÙ

Cosciente della casualità del suo essere al mondo, soddisfatto di se stesso e perfettamente in sintonia con l'ordine delle cose, l'uomo epicureo vive ogni giorno la pienezza del suo essere, felice e libero come un animale. Un'annotazione di Leopardi nello *Zibaldone* (31 ottobre 1823), seppure non riferita alla filosofia di Epicuro, ne chiosa bene lo spirito: «la felicità non è che la perfezione, il compimento e il proprio stato della vita, secondo la sua diversa proprietà ne' diversi generi di cose esistenti [...]. Quindi la natura, ch'è vita, è anche felicità. E quindi è necessario alle cose esistenti amare e cercare la maggior vita possibile a ciascuna di loro. E il piacere non è altro che vita. E la vita è piacere necessariamente, e maggior piacere, quanto essa vita è maggiore e più viva».

Per Seneca e gli stoici è esattamente il contrario: ciò che muove l'uomo non è il piacere, basso, servile e incontrol-

labile come qualunque istinto naturale, ma l'amore per il bene; e l'unico bene è la *virtù*, parola vaga che ogni pensatore e ogni epoca riempiono a modo loro, ma che in questo caso significa vivere in coerenza con se stessi, indifferenti alla sorte, secondo ragione e secondo natura. La prima parte della *Vita felice* contiene una critica programmatica alla concezione epicurea del piacere, che, dice Seneca, può esistere anche fra gli uomini malvagi, mentre la virtù non si trova se non tra gli spiriti migliori.

Tornando a mettere a confronto i due modelli filosofici, per Epicuro la felicità rafforza la moralità: «più apprezzabile della filosofia è la saggezza, da cui derivano tutte le altre virtù; quella saggezza che insegna come non sia possibile vivere felici se non si conduce una vita ragionevole, specchiata e giusta, e come non sia d'altra parte possibile condurre una vita ragionevole, specchiata e giusta senza vivere felici. Le virtù sono infatti connaturate alla vita felice e la vita felice è da esse inscindibile» (*Lettera*, 132). Per Seneca invece legare la virtù al piacere significa minare alla base il principio dell'autosufficienza del saggio: «Non posso chiamare sapiente l'uomo che ha qualcosa al di sopra di sé, in particolare il piacere. E invero, chi ne è già dominato, come si contrapporrà alla fatica e al pericolo, alla miseria e a tante minacce che strepitano intorno alla vita umana? Come sopporterà la vista della morte, i dolori, come i fragori del mondo, e tanti nemici agguerritissimi, se è stato vinto da un avversario così debole?» (*La vita felice,* XI, 1). L'esercizio della virtù può procurare piacere, ma non è con questo fine che si persegue la virtù. Del resto, è evidente che la virtù è più spesso priva di piacere, e l'uomo virtuoso saprà accettare il proprio destino, qualunque sia, anche se è un destino di dolore.

6
CARICATURA

Se la retorica del dovere, della fatica e della sofferenza eroica costituisce parte integrante della disciplina stoica e sostiene ancora oggi l'ideale di colui che "resiste stoicamente" ai mali della vita, non stupisce che all'opposto il nome di Epicuro sia stato fin da subito portato in *caricatura* fino a tramutarsi in un aggettivo che designa l'edonismo più volgare.

La storia dell'antiepicureismo, che spesso non è altro se non la deformazione intenzionale del pensiero del fondatore, è vasta e lunga. Lo stesso Epicuro (*Lettera*, 131) deve difendersi da quanti in buona o cattiva fede travisano il suo pensiero, e raffigurano il suo piacere privo di vizio come la donna esuberante e impudica che nel celebre apologo di Ercole al bivio si oppone a Virtù e cerca di condurre l'eroe su una strada di depravazione. Le medesime accuse, assieme a quella di non credere negli dèi, proseguono ancor più vigorosamente a Roma: con Cicerone e, lo si è detto, con lo stesso Seneca, il quale tuttavia anche in questo dialogo tende a prendersela più con gli epicurei che con Epicuro, colpevole principalmente di offrire un autorevole paravento alla dissolutezza altrui (XII, 4). Plutarco, erede della tradizione platonica, scrisse un'opera piuttosto esplicita fin dal titolo: *Non è possibile vivere felici seguendo Epicuro*; ma è il cristianesimo, con il suo rifiuto a priori del piacere come sinonimo di peccato, a vedere nell'epicureismo il frutto più perverso del pensiero antico. L'opposizione da parte dei padri della Chiesa fu senza riserve: si potevano assimilare Platone, Aristotele, Seneca, ma non il filosofo del Giardino, tanto più pericoloso quanto più il

suo materialismo era misurato ed eticamente retto; e tuttavia negava la provvidenza, amava la vita e combatteva la paura. La felicità, per il pensiero cristiano, non è di questo mondo, e chi la cerca sulla terra soffrirà in eterno.

La minaccia di una morale che libera l'uomo senza scomodare Dio e senza cercare altrove la chiave della felicità (un altrove che può essere anche un'interiorità tanto più estranea quanto più irraggiungibile, e che ben presto si trasforma in Dio a sua volta) è stata combattuta fino a epoche più recenti di quanto potremmo immaginare. Non solo Dante mette gli epicurei («che l'anima col corpo morta fanno») nel cerchio degli eretici, ma nel 1516 il Sinodo fiorentino proibì nelle scuole lo studio del *De rerum natura* di Lucrezio, manifesto poetico della filosofia epicurea. La prima traduzione del matematico pisano Alessandro Marchetti poté essere pubblicata solo postuma e fuori dall'Italia (a Londra, nel 1717) e l'anno successivo venne messa all'Indice.

7
COMPROMESSO

Dunque, per Seneca solo l'uomo virtuoso ha il privilegio di essere felice, e la virtù non è, come il piacere, qualcosa che viene da fuori, ma vive dentro di noi: una frattura tra spazio interiore e mondo, tra materia e spirito che diventerà ben presto incolmabile. C'è di più: se il piacere epicureo è, almeno in linea di principio, alla portata di tutti, la virtù stoica propone una sfida impossibile, e in qualche modo paradossale: ciò che è serve all'uomo per essere felice trascende l'uomo; o, detto di-

versamente: l'uomo è tanto più felice, in senso filosofico, quanto più dedica la propria vita ad alimentare la scintilla di divino che gli brilla dentro, affrancandosi progressivamente dalla propria materialità: «chi dunque si proporrà di fare ciò, lo vorrà, lo tenterà, costui marcerà verso gli dèi» (XXI).

Tuttavia il pragmatismo romano vale in filosofia tanto quanto in politica: se da un lato si perseguono gli obiettivi più elevati, dall'altro si cerca il *compromesso*, e si pratica la tolleranza verso gli errori e le cadute. Seneca è, con Cicerone, il modello del pensatore che assimila i dogmi delle filosofie ellenistiche in maniera eclettica, allentandone il rigore teoretico in modo da poterli governare con maggior libertà. Tutta la seconda parte della *Vita felice* è dedicata a difendere se stesso e più in generale i filosofi dalla consueta accusa di non mettere in pratica ciò che professano a parole: «Non disprezzare le parole virtuose e gli animi ricchi di buona volontà. La meditazione sulla saggezza è sempre lodevole, indipendentemente dai risultati. Che cosa c'è di strano se non salgono in alto, avendo posto mano a problemi ardui?» (XX, 1-2).

Il saggio quindi non è tale perché ha completato un percorso di perfezione, ma perché lo ha iniziato; e per ciò che riguarda Seneca, accusato di collusione col potere, di aver accumulato un patrimonio infinito, di coltivare privatamente i vizi biasimati in pubblico, di essere, in una parola, impaniato in tutte le contraddizioni della sua epoca, la sua risposta è netta: «Parlo della virtù, non di me, e quando mi scaglio contro i vizi incomincio dai miei; quando mi sarà possibile, vivrò come dovrei» (XVIII, 1). La coerenza rivendicata da Seneca non è perciò quella che tutti possono vedere e giudicare, spesso impossibile

da raggiungere, ma quella interiore, di tipo intellettuale: la severa virtù stoica è prima di tutto fatta di pensiero e di intenzione. Una soluzione che per la morale epicurea è sostanzialmente priva di senso.

8
APPARTARSI

Il modo più semplice per non scendere a compromessi è non mettersi nella condizione di dover scendere a compromessi. La massima forse più nota di Epicuro raccomanda il ritiro dal mondo e dalla vita attiva: quel «vivi nascosto» che Orazio, poeta sensibile alla filosofia del Giardino, riecheggia nell'Epistola XVII: «non visse male chi è nato e vissuto nell'ombra». Per Epicuro il porto più sicuro è quello dal quale si può osservare a distanza il gran travaglio della vita altrui; l'unico spazio di vita sociale sembra trovarlo nella dimensione dell'amicizia, alla quale dedica alcuni tra i pensieri più alti mai scritti nell'antichità: «Di tutto ciò che la sapienza procura per la felicità completa della vita, il bene più grande è il possesso dell'amicizia» (Massima XXVII). Legare in un unico cerchio sapienza, felicità e amicizia significa spostare il proprio riferimento esistenziale dalla *pòlis* alla comunità più ampia degli uomini che condividono lo stesso progetto di vita.

Impegnato nella ricerca del piacere e della felicità individuale, il saggio epicureo si disinteressa dunque della vita politica e si sottrae a ogni impegno che possa provocare turbamento. È socialmente sterile: questa una delle principali accuse rivolte da Cicerone, e non è un caso che la critica al vivere oscuro risuoni con particolare forza pro-

prio a Roma. Se il piacere di Epicuro è passivo e in quiete, la virtù stoica, in particolare per come la descrive Seneca, chiede ad alta voce di sporcarsi le mani: «Incontrerai la virtù nel tempio, nel foro, nella curia, in piedi davanti alle mura, coperta di polvere, cotta dal sole, con le mani callose; il piacere lo troverai spesso nascosto e alla ricerca delle tenebre, intorno ai bagni, ai mezzi di riscaldamento e ai luoghi che hanno paura delle guardie, fiacco, snervato, bagnato di vino e di profumi, pallido, imbellettato e impiastricciato di pomate» (VII, 3).

Per governare gli altri, questo è il presupposto, occorre prima di tutto saper governare se stessi: lo stoicismo non formò solo filosofi, ma uomini politici che furono spesso consiglieri di prìncipi o nemici di tiranni. Il caso di Seneca da questo punto di vista è esemplare: esiliato in Corsica da Claudio, fu richiamato a Roma da Agrippina, nuova moglie dell'imperatore e madre di Nerone, per fare da precettore al futuro principe. Nei primi cinque anni di regno sembrò avverarsi il sogno platonico del governo retto dai filosofi: l'imperatore, sotto la guida di Seneca e del prefetto Burro, regnava saggiamente, e con clemenza. Poi tutto precipita: a marzo del 59 Nerone ordina di uccidere l'ingombrante madre, e per Seneca, che pure trovò il modo di giustificare quella morte come male minore, è tempo di farsi da parte: dona a Nerone tutti i suoi averi e si ritira a vita privata per dedicarsi completamente agli studi filosofici e naturalistici. Non basterà per salvarsi dal potere che uccide, lo vedremo; ma qui è opportuno allargare lo sguardo oltre il caso specifico. Anche il saggio stoico, come quello epicureo, conosce bene il piacere calmo dell'*otium* culturale e la seduzione dell'*appartarsi*, specialmente dopo il disinganno di una vita politica che tradisce le at-

tese. È il nodo centrale e irrisolto non solo nel pensiero di Seneca, ma potremmo dire di qualunque intellettuale che abbia cercato di trasportare la riflessione filosofica nella pratica politica: il conflitto fra il tentativo di fondere la virtù pubblica con quella individuale, e il richiamo talvolta irresistibile verso l'esilio interiore, o verso un altrove che può arrivare fino alla morte, fino a Dio.

9
DIO

Si può vivere felici senza un *Dio* che conceda o autorizzi questa felicità? Per Epicuro si può, e anzi non c'è altro modo per essere felici. Epicuro tuttavia non era propriamente ateo: anche per lui gli dèi esistono e hanno forma e figura simile alla nostra; lo prova il fatto stesso che tutti lo credono e se ne formano l'immagine. L'epicureismo non vuole eliminare la divinità, ma le opinioni sbagliate che gli uomini si fanno intorno alla divinità. Quindi gli dèi non hanno creato il mondo, non influiscono sulla sua evoluzione, non si interessano alle vicende degli uomini; non chiedono niente e neppure offrono niente: non protezione, non minacce, non precetti o decaloghi da osservare. Proprio questo essere totalmente liberi da noi li rende perfettamente felici, e al tempo stesso la loro indifferenza alle sorti umane esonera anche noi dalla paura del divino e apre la strada a una vita priva di paure. Una simile costellazione di idee trova sostegno nella fisica epicurea, secondo la quale il mondo è fatto di atomi immortali che cadono nel vuoto infinito. Lo farebbero in linea retta, senza mai incontrarsi, se un'impercettibile deviazione della traiettoria (del tutto

casuale, immotivata e spontanea: Epicuro, come Democrito, «il mondo a caso pone») non li portasse occasionalmente a scontrarsi fra loro e a creare la materia, e quindi il mondo. I mondi anzi: infiniti mondi, tutti frutto del caso, che così come sono nati, allo stesso modo si disgregano nell'eterno fluire del tempo. Noi siamo uno dei tanti esperimenti della natura, in niente migliori o privilegiati rispetto agli altri che ci sono stati, ci sono e ci saranno. Gli dèi sono le entità immortali che vivono negli spazi vuoti fra mondo e mondo (*metacòsmia*).

Nell'epoca omerica gli dèi erano gli unici a poter godere una vita senza affanni: la loro felicità era un'eterna giovinezza fatta di piaceri, feste e banchetti. Solo col tempo i greci elaborarono una rappresentazione moralizzata del divino: il Dio di Platone è felice perché è buono e in armonia con se stesso. Per gli stoici Dio non solo esiste, ma la vera libertà è obbedirgli: Dio è la *mens universi*, e obbedire a lui significa obbedire alla virtù, alla ragione che governa tutto. Se in Epicuro gli dèi sono un modello di felicità (ma un modello per così dire passivo: aiutano gli uomini a meglio rappresentarsi il modello di vita epicureo), in Seneca, influenzato dal medioplatonismo, l'imitazione tende ad assumere il valore di assimilazione, la filosofia tende a farsi teologia: «che cosa spregevole è l'uomo, se non si sarà innalzato al di sopra delle cose umane» (*Questioni naturali*, I, pref. 5). Il forte sentimento della trascendenza è, pur tra oscillazioni anche significative, la cifra di questa nuova fase, tutta romana, del pensiero stoico; e in questo quadro sempre più venato di spiritualismo, il sensismo epicureo appare sempre meno adeguato a rendere ragione del nostro essere al mondo: «so bene cosa mi si potrebbe obiettare a questo punto», scrive Seneca nei *Benefici*. «"E dunque dio

non concede benefici, ma sereno e indifferente ai nostri casi ci dà le spalle e si occupa di altro, oppure, cosa che a Epicuro sembra la maggior felicità, non fa proprio nulla, e i benefici non lo toccano più delle offese". Chi parla così non sente le voci di quelli che pregano e che ovunque alzano le mani al cielo e fanno voti in pubblico e in privato; perché di certo gli uomini non sarebbero caduti tutti in questa pazzia di rivolgersi a divinità sorde e a dèi impotenti, se non avessimo sperimentato i loro benefici, offerti spontaneamente o concessi per le preghiere, che sono grandi, opportuni e ci liberano da gravi pericoli» (IV, 4).

10
MORTE

Fra tutte le paure che tormentano l'uomo, la *morte* è la più grande, è il basso continuo della nostra infelicità esistenziale: «In funzione della morte noi uomini abitiamo tutti una città senza mura» (Sentenza 31). Eppure per Epicuro anche questo turbamento può essere curato con la conoscenza. La morte non è altro che la disgregazione degli atomi di cui siamo fatti: quando c'è lei, non ci siamo noi, e quando ci siamo noi, lei non c'è. Per dirla con altre parole, tutto il bene e tutto il male risiedono nella sensazione, e la morte è privazione della sensazione. Neppure dell'aldilà dobbiamo avere paura: anche l'anima è composta di atomi, e muore assieme al corpo.

Ha senso dunque avere paura di qualcosa che non ci riguarda? Certo che lo ha. Alberto Savinio in *Casa «la Vita»* scrive che pensare non è altro se non pensare alla morte. Col tempo il farmaco di Epicuro si è fatto sempre

meno efficace: saranno altre le filosofie e le religioni che avranno il compito di lenire questa dimensione primaria del male di vivere. E tuttavia Epicuro insegna che la paura della morte non è altro che il turbamento prodotto da un insensato desiderio di eternità. La disciplina epicurea vuole convincere l'uomo che è bello essere mortali: «La ragione, valutando le esigenze della carne e il loro giusto limite e dissolti i timori dell'eternità, organizza la vita in modo perfetto e non necessita oltre questa di un tempo infinito. Tuttavia né fugge il piacere né, quando le circostanze comportano di lasciare la vita, viene meno come se le mancasse qualcosa al compimento di una vita eccellente» (Massima XX).

La morte dunque, per Epicuro, non va temuta, ma non va neppure cercata: «Il saggio né rifiuta il vivere né teme il non vivere, perché né è contrario alla vita, né ritiene che ci sia qualcosa di male nella non-vita. Come a proposito del cibo non punta sulla quantità, ma sulla qualità, così del tempo non persegue la durata, ma il massimo del piacere» (*Lettera*, 126). E ancora: «Davvero è un individuo da poco colui per il quale esistono molti ragionevoli motivi per togliersi la vita» (Sentenza 38). Non è un giudizio moralistico: niente era più estraneo agli antichi della condanna a priori del suicidio, e lo stesso Epicuro lo giustifica quando serve a sottrarci a una vita di necessità (si veda ad esempio la Sentenza 9). Semplicemente, per l'epicureismo un uomo che cerca la morte ha spesso un'idea sbagliata della vita: cerca nella vita qualcosa che non può trovare, o per dire meglio identifica la vita con il proprio io, mette prima l'essere del sentire, e non trovando rispondenza alle proprie attese, pone fine a un'esistenza che delude per la sua finitezza.

Questo pensiero segna ancora una volta la distanza dalla morale stoica, che arriva a sublimare la bella morte come atto di suprema rivendicazione della libertà umana, ultimo dovere dell'uomo quando il destino ci chiude in un angolo e rende impossibile vivere secondo giustizia. A partire dalla morte per cicuta di Socrate, che costituisce l'archetipo di tutte le morti filosofiche, il saggio è consapevole che la morte è il suo lascito estremo, e che deve progettarla con cura, al pari di qualunque altra opera filosofica e letteraria. Epicuro morì bevendo vino schietto in una vasca riempita di acqua calda, dopo aver raccomandato agli amici di non scordare i suoi insegnamenti. Seneca, accusato nel 65 di aver partecipato alla congiura di Gaio Calpurnio Pisone, fu costretto da Nerone a darsi la morte, e fu una morte, per come la racconta Tacito in una celebre pagina degli *Annali* (62-64), più elaborata che esemplare. Chiese le tavole del testamento e, al rifiuto del centurione disse agli amici che, non potendo fare altro, lasciava loro il dono più bello: l'esempio della sua vita. Li consolò, perché piangevano, e impartì a tutti gli ultimi insegnamenti su come affrontare le avversità della sorte. Si tagliò le vene, e attendeva la fine continuando a dettare ai servi gli ultimi pensieri; ma dal corpo vecchio e avvizzito il sangue non usciva. Provò col veleno, ma anche quello era inefficace. Riuscì a morire solo quando lo portarono in un bagno di vapori bollenti, che gli chiusero finalmente la gola. Così finì la vita Seneca, il saggio stoico che con la sua morte volle riscattare la colpa di essere stato al mondo, e di aver vissuto pienamente il dolore e la felicità del suo tempo.

Nota ai testi

Di Epicuro, che secondo la tradizione scrisse moltissimo, rimane sostanzialmente quanto è stato tramandato da Diogene Laerzio, storico greco vissuto fra il II e il III sec. d.C. che gli dedica per intero il decimo libro delle sue *Vite e dottrine dei filosofi*. La lettera a Meneceo (il titolo *Lettera sulla felicità* non è originale, ma è invalso in Italia dopo una fortunata traduzione) viene trascritta da Diogene assieme ad altre due lettere: una a Erodoto sulle questioni fisiche e una a Pitocle sui fenomeni celesti. Anche le quaranta massime capitali, che contengono il nucleo della dottrina epicurea, sono in Diogene, mentre lo *Gnomologium Vaticanum Epicureum* (le cosiddette "Sentenze vaticane") fu scoperto nel 1888 da C. Wotke nel Codice vaticano greco 1950 del XIV secolo.

Quasi tutto quello che sappiamo sulla filosofia di Epicuro deriva dunque dalle poche opere divulgative rimaste e da fonti indirette greche e latine (molte delle quali a lui ostili). Diogene di Enoanda nei primi anni del II secolo fece scolpire nel portico della sua casa in Asia Minore una corposa sintesi della dottrina epicurea: la possediamo in frammenti, che conservano anche alcune massime originali. Inoltre, intorno alla metà del XVIII sec., in una villa ercolanese appartenuta al suocero di Cesare, Lucio Calpurnio Pisone, fu scoperta una biblioteca di oltre

1800 papiri, che da non molto si riescono faticosamente a leggere. Pisone ospitò per diverso tempo Filodemo di Gadara, filosofo epicureo morto fra il 40 e il 30 a.C.: la biblioteca di Ercolano fu probabilmente creata da lui. Nella sezione greca sono stati trovati frammenti di almeno otto libri dell'opera maggiore di Epicuro, *Sulla natura*, originariamente in trentasette libri, che aiutano a far luce sugli aspetti più tecnici del pensiero epicureo.

Lucio Anneo Seneca, che fu tra i maggiori esponenti dello stoicismo eclettico di età imperiale, dedicò il *De vita beata* al fratello maggiore Anneo Novato Gallione. L'opera fa parte del gruppo dei cosiddetti Dialoghi (*Dialogi*), comprendente altri nove trattati destinati a diversi interlocutori. Con l'eccezione del *De tranquillitate animi*, non si tratta in realtà di veri e propri dialoghi, ma di una sorta di conferenze in forma scritta, dedicate a un pubblico inesperto in filosofia e caratterizzate da brevità, libertà espositiva e tono divulgativo.

Il *De vita beata* in particolare appartiene agli anni iniziali del principato di Nerone, prima del forzato ritiro di Seneca a vita privata nel 62 d.C. Solitamente viene messo in relazione con le accuse di Publio Suillio Rufo, proconsole della provincia d'Asia e più noto come delatore, che procurò a Seneca qualche guaio sparlando delle sue ricchezze e dei metodi a suo dire poco ortodossi utilizzati per accumularle. Seneca se ne liberò intentandogli un processo per malgoverno; ma probabilmente rispose anche in forma pubblica con questo dialogo, che ha infatti toni violenti e meno sereni di quanto, dato il tema, ci si potrebbe aspettare.

Il dialogo termina bruscamente al capitolo 28. L'ultima parte è dunque perduta, e nei manoscritti si fonde

con l'inizio del *De otio*, anche questo perduto. Fu Giusto Lipsio, filologo fiammingo vissuto fra il XVI e il XVII, a ipotizzare la caduta di un foglio nell'archetipo tra la fine del *De vita beata* e l'inizio del *De otio*, e a distinguere così i due dialoghi.

Giuseppe Dino Baldi

Avvertenza ai testi

Le parti del testo a fronte tra parentesi uncinate (‹...›) indicano un'integrazione considerata necessaria. Quando invece il testo è ritenuto corrotto o non del tutto ricostruibile lo si è inserito, come è prassi, tra le due croci († ... †). Con i tre asterischi (* * *) sono indicate le parti di testo andate perdute. Il testo tra parentesi quadre ([...]) segnala un luogo del manoscritto che secondo i filologi deve essere espunto (talvolta si tratta di glosse o scoli, in altri casi di possibili interpolazioni). La "Lettera a Meneceo" è stata riprodotta col titolo editoriale di *Lettera sulla felicità*, le "Massime capitali" col titolo editoriale di *Massime sulla felicità*; la sezione *Sentenze sulla felicità*, tratta dalle "Sentenze vaticane", riproduce solo quelle di argomento specifico.

PARTE PRIMA

Epicuro

LETTERA SULLA FELICITÀ

Massime sulla felicità

Sentenze sulla felicità

Ἐπίκουρος Μενοικεῖ χαίρειν.

122. Μήτε νέος τις ὢν μελλέτω φιλοσοφεῖν, μήτε γέρων ὑπάρχων κοπιάτω φιλοσοφῶν· οὔτε γὰρ ἄωρος οὐδείς ἐστιν οὔτε πάρωρος πρὸς τὸ κατὰ ψυχὴν ὑγιαῖνον. ὁ δὲ λέγων ἢ μήπω τοῦ φιλοσοφεῖν ὑπάρχειν ὥραν ἢ παρεληλυθέναι τὴν ὥραν ὅμοιός ἐστι τῷ λέγοντι πρὸς εὐδαιμονίαν ἢ μὴ παρεῖναι τὴν ὥραν ἢ μηκέτι εἶναι. ὥστε φιλοσοφητέον καὶ νέῳ καὶ γέροντι, τῷ μὲν ὅπως γηράσκων νεάζῃ τοῖς ἀγαθοῖς διὰ τὴν χάριν τῶν γεγονότων, τῷ δ' ὅπως νέος ἅμα καὶ παλαιὸς ᾖ διὰ τὴν ἀφοβίαν τῶν μελλόντων· μελετᾶν οὖν χρὴ τὰ ποιοῦντα τὴν εὐδαιμονίαν, εἴπερ παρούσης μὲν αὐτῆς πάντα ἔχομεν, ἀπούσης δὲ πάντα πράττομεν εἰς τὸ ταύτην ἔχειν.

123. Ἃ δέ σοι συνεχῶς παρήγγελλον, ταῦτα καὶ πρᾶττε καὶ μελέτα, στοιχεῖα τοῦ καλῶς ζῆν ταῦτ' εἶναι διαλαμβάνων. πρῶτον μὲν τὸν θεὸν ζῷον ἄφθαρτον καὶ μακάριον νομίζων, ὡς ἡ κοινὴ τοῦ θεοῦ νόησις ὑπεγράφη, μηθὲν μήτε τῆς ἀφθαρσίας ἀλλότριον μήτε τῆς μακαριότητος ἀνοίκειον αὐτῷ πρόσαπτε· πᾶν δὲ τὸ φυλάττειν αὐτοῦ δυνάμενον τὴν μετὰ ἀφθαρσίας μακαριότητα περὶ αὐτὸν δόξαζε. θεοὶ μὲν γὰρ εἰσίν· ἐναργὴς γὰρ αὐτῶν ἐστιν ἡ γνῶσις. οἵους δ' αὐτοὺς ‹οἱ› πολλοὶ νομίζουσιν, οὐκ εἰσίν· οὐ γὰρ φυλάττουσιν αὐτοὺς οἵους νομίζουσιν. ἀσεβὴς δὲ οὐχ ὁ τοὺς τῶν πολλῶν

Lettera sulla felicità

Epicuro saluta Meneceo,

122. Non aspetti il giovane a darsi alla filosofia e non si stanchi il vecchio di coltivarla. Nessuno, infatti, è troppo giovane o troppo vecchio rispetto alla salute dell'anima. Chi dice che non è ancora giunta l'età per la filosofia o che l'età è già passata è simile a chi dice che non è ancora giunta o è già passata l'età per la felicità. Per cui devono dedicarsi alla filosofia sia il giovane sia il vecchio, l'uno perché procedendo negli anni sia giovane nei beni per le gratificazioni acquisite da quanto gli è accaduto, l'altro perché sia contemporaneamente giovane e maturo per il non aver paura di quanto gli accadrà. Occorre dunque meditare su ciò che procura la felicità, perché se c'è questa abbiamo tutto, se non c'è facciamo di tutto per averla.

123. Metti in pratica e medita le cose che ti ho sempre raccomandato, tenendo conto che sono gli elementi costitutivi del vivere felicemente. In primo luogo pensa che la divinità è un essere immortale e beato, come è intesa nella concezione comune del divino, e non attribuirle nulla che non abbia a che vedere con l'immortalità o che sia in contrasto con la beatitudine; bensì pensala come tutto ciò che è in grado di salvaguardare la propria beatitudine congiuntamente all'immortalità. Gli dèi esistono; di essi infatti la conoscenza è palese. Piuttosto, non sono tali quali li credono

θεοὺς ἀναιρῶν, ἀλλ' ὁ τὰς τῶν πολλῶν δόξας θεοῖς προσάπτων.

124. οὐ γὰρ προλήψεις εἰσὶν ἀλλ' ὑπολήψεις ψευδεῖς αἱ τῶν πολλῶν ὑπὲρ θεῶν ἀποφάσεις· ἔνθεν αἱ μέγισται βλάβαι †αἰτίαι† τε τοῖς κακοῖς ἐκ θεῶν ἐπάγονται καὶ ὠφέλειαι ‹τοῖς ἀγαθοῖς›. ταῖς γὰρ ἰδίαις οἰκειούμενοι διὰ παντὸς ἀρεταῖς τοὺς ὁμοίους ἀποδέχονται, πᾶν τὸ μὴ τοιοῦτον ὡς ἀλλότριον νομίζοντες.

Συνέθιζε δὲ ἐν τῷ νομίζειν μηδὲν πρὸς ἡμᾶς εἶναι τὸν θάνατον· ἐπεὶ πᾶν ἀγαθὸν καὶ κακὸν ἐν αἰσθήσει· στέρησις δέ ἐστιν αἰσθήσεως ὁ θάνατος. ὅθεν γνῶσις ὀρθὴ τοῦ μηθὲν εἶναι πρὸς ἡμᾶς τὸν θάνατον ἀπολαυστὸν ποιεῖ τὸ τῆς ζωῆς θνητόν, οὐκ ἄπειρον προστιθεῖσα χρόνον, ἀλλὰ τὸν τῆς ἀθανασίας ἀφελομένη πόθον. 125. Οὐθὲν γάρ ἐστιν ἐν τῷ ζῆν δεινὸν τῷ κατειληφότι γνησίως τὸ μηδὲν ὑπάρχειν ἐν τῷ μὴ ζῆν δεινόν· ὥστε μάταιος ὁ λέγων δεδιέναι τὸν θάνατον οὐχ ὅτι λυπήσει παρών, ἀλλ' ὅτι λυπεῖ μέλλων. ὃ γὰρ παρὸν οὐκ ἐνοχλεῖ, προσδοκώμενον κενῶς λυπεῖ. τὸ φρικωδέστατον οὖν τῶν κακῶν ὁ θάνατος οὐθὲν πρὸς ἡμᾶς, ἐπειδήπερ ὅταν μὲν ἡμεῖς ὦμεν, ὁ θάνατος οὐ πάρεστιν· ὅταν δὲ ὁ θάνατος παρῇ, τόθ' ἡμεῖς οὐκ ἐσμέν. οὔτε οὖν πρὸς τοὺς ζῶντάς ἐστιν οὔτε πρὸς τοὺς τετελευτηκότας, ἐπειδήπερ περὶ οὓς μὲν οὐκ ἔστιν, οἱ δ' οὐκέτι εἰσίν. ἀλλ' οἱ πολλοὶ τὸν θάνατον ὁτὲ μὲν ὡς μέγιστον τῶν κακῶν φεύγουσιν, ὁτὲ δὲ ὡς ἀνάπαυσιν τῶν ἐν τῷ ζῆν ‹κακῶν αἱροῦνται. 126. ὁ δὲ σοφὸς οὔτε παραιτεῖται τὸ ζῆν› οὔτε φοβεῖται τὸ μὴ ζῆν· οὔτε γὰρ αὐτῷ προσίσταται τὸ ζῆν οὔτε δοξάζεται κακὸν εἶναί τι τὸ μὴ ζῆν. ὥσπερ δὲ τὸ σιτίον οὐ τὸ πλεῖον πάντως ἀλλὰ τὸ ἥδιστον αἱρεῖται, οὕτω καὶ χρόνον οὐ τὸν μήκιστον ἀλλὰ τὸν ἥδιστον καρπίζεται. ὁ δὲ παραγγέλλων τὸν μὲν νέον καλῶς ζῆν,

i più, questi non potrebbero esistere nel modo in cui i più li concepiscono. Non è empio colui che nega gli dèi della massa, ma chi fa corrispondere agli dèi le opinioni della massa.

124. I giudizi dei più a proposito degli dèi, infatti, non sono nozioni anticipate, ma illazioni mendaci. Ne deriva che dagli dèi si ricavano i più grandi danni ai malvagi e i più grandi vantaggi (ai buoni). Dediti di continuo infatti come sono alle loro virtù, accolgono i loro simili, considerando estraneo tutto ciò che non è tale.

Prendi dimestichezza con il pensiero che per noi la morte non è nulla, perché tutto il bene e tutto il male risiedono nella sensazione, e la morte è privazione della sensazione. Ne deriva che il giusto pensiero che per noi la morte non è nulla fa sì che sia una cosa piacevole la mortalità della vita, non aggiungendo tempo infinito, ma togliendo il desiderio dell'immortalità. 125. Non c'è, infatti, niente di temibile nel vivere per chi è profondamente convinto che non c'è niente di temibile nel non vivere, cosicché è sciocco chi dice di temere la morte non perché sia dolorosa quando c'è, ma perché addolora quando deve ancora venire; in effetti ciò che, presente, non dà turbamento, non è ragionevole che provochi dolore quando lo si aspetta. Il più tremendo dei mali dunque, la morte, per noi non è nulla, dal momento che quando ci siamo noi la morte non c'è e quando c'è la morte non ci siamo noi. Quindi non è nulla né per i vivi né per i morti, perché rispetto agli uni non c'è, rispetto agli altri sono questi a non esserci. I più invece o fuggono la morte come il più grande dei mali, o la cercano come cessazione dei mali della vita. 126. Il saggio invece né rifiuta il vivere né teme il non vivere, perché né è contrario alla vita, né ritiene che ci sia qualcosa di male nella non-vita. Come a proposito del cibo non punta sulla

τὸν δὲ γέροντα καλῶς καταστρέφειν, εὐήθης ἐστὶν οὐ μόνον διὰ τὸ τῆς ζωῆς ἀσπαστόν, ἀλλὰ καὶ διὰ τὸ τὴν αὐτὴν εἶναι μελέτην τοῦ καλῶς ζῆν καὶ τοῦ καλῶς ἀποθνῄσκειν. πολὺ δὲ χείρων καὶ ὁ λέγων

'καλὸν μὲν μὴ φῦναι,
φύντα δ' ὅπως ὤκιστα πύλας Ἀΐδαο περῆσαι.'

127. Εἰ μὲν γὰρ πεποιθὼς τοῦτό φησιν, πῶς οὐκ ἀπέρχεται ἐκ τοῦ ζῆν; ἐν ἑτοίμῳ γὰρ αὐτῷ τοῦτ' ἔστιν, εἴπερ ἦν βεβουλευμένον αὐτῷ βεβαίως· εἰ δὲ μωκώμενος, μάταιος ἐν τοῖς οὐκ ἐπιδεχομένοις. μνημονευτέον δὲ ὡς τὸ μέλλον οὔτε ἡμέτερον οὔτε πάντως οὐχ ἡμέτερον, ἵνα μήτε πάντως προσμένωμεν ὡς ἐσόμενον μήτε ἀπελπίζωμεν ὡς πάντως οὐκ ἐσόμενον.

Ἀναλογιστέον δὲ ὡς τῶν ἐπιθυμιῶν αἱ μέν εἰσι φυσικαί, αἱ δὲ κεναί. καὶ τῶν φυσικῶν αἱ μὲν ἀναγκαῖαι, αἱ δὲ φυσικαὶ μόνον· τῶν δ' ἀναγκαίων αἱ μὲν πρὸς εὐδαιμονίαν εἰσὶν ἀναγκαῖαι, αἱ δὲ πρὸς τὴν τοῦ σώματος ἀοχλησίαν, αἱ δὲ πρὸς αὐτὸ τὸ ζῆν. 128. Τούτων γὰρ ἀπλανὴς θεωρία πᾶσαν αἵρεσιν καὶ φυγὴν ἐπανάγειν οἶδεν ἐπὶ τὴν τοῦ σώματος ὑγίειαν καὶ τὴν ‹τῆς ψυχῆς› ἀταραξίαν, ἐπεὶ τοῦτο τοῦ μακαρίως ζῆν ἐστι τέλος. τούτου γὰρ χάριν πάντα πράττομεν, ὅπως μήτε ἀλγῶμεν μήτε ταρβῶμεν· ὅταν δὲ ἅπαξ τοῦτο περὶ ἡμᾶς γένηται, λύεται πᾶς ὁ τῆς ψυχῆς χειμών, οὐκ ἔχοντος τοῦ ζῴου βαδίζειν ὡς πρὸς ἐνδέον τι καὶ ζητεῖν ἕτερον ᾧ τὸ τῆς ψυχῆς καὶ τοῦ σώματος ἀγαθὸν συμπληρώσεται. τότε γὰρ ἡδονῆς χρείαν ἔχομεν ὅταν ἐκ τοῦ μὴ παρεῖναι τὴν ἡδονὴν ἀλγῶμεν· ‹ὅταν δὲ μὴ ἀλγῶμεν,› οὐκέτι τῆς ἡδονῆς δεόμεθα. καὶ διὰ τοῦτο τὴν ἡδονὴν ἀρχὴν καὶ τέλος λέγομεν εἶναι τοῦ μακαρίως ζῆν· 129. ταύτην

quantità, ma sulla qualità, così del tempo non persegue la durata, ma il massimo del piacere. Chi predica al giovane di vivere bene e al vecchio di ben morire è sciocco non solo in rapporto a quanto di gradevole c'è nella vita, ma per il fatto che la cura che si deve porre nel vivere bene e nel morire bene è la stessa. Ancora peggio è dire:

bello il non esser nati,
ma, nati, varcare al più presto le porte dell'Ade.[1]

127. Se chi lo dice, infatti, è veramente convinto, perché non se ne va dalla vita? Può farlo immediatamente, se questo è quello che pensa davvero. Se invece parla per scherzo, lo fa da sciocco in cose su cui non è il caso di scherzare. Occorre poi ricordare che il futuro non è né del tutto nostro né del tutto non nostro, perché non ci si aspetti che si avveri totalmente o ci si disperi come se non dovesse avverarsi affatto.

E ancora si deve riflettere sul fatto che, dei desideri, alcuni sono naturali, altri vani, e che di quelli naturali alcuni sono necessari, altri solo naturali. Di quelli necessari alcuni lo sono in vista della felicità, altri per il benessere del corpo, altri per la vita stessa. 128. Se di essi si ha una conoscenza precisa si è in grado di rapportare la scelta di fare o non fare qualcosa alla salute del corpo e alla tranquillità dell'anima, perché questo è il fine del vivere felici. In questa prospettiva infatti facciamo tutto: per non soffrire nel corpo e per non essere turbati nell'anima. Una volta che ciò si verifichi per noi, ogni tempesta spirituale si placa, non avendo il vivente una meta a cui tendere come

[1] *bello... Ade*: Teognide, vv. 425- 427.

γὰρ ἀγαθὸν πρῶτον καὶ συγγενικὸν ἔγνωμεν, καὶ ἀπὸ ταύτης καταρχόμεθα πάσης αἱρέσεως καὶ φυγῆς, καὶ ἐπὶ ταύτην καταντῶμεν ὡς κανόνι τῷ πάθει πᾶν ἀγαθὸν κρίνοντες. καὶ ἐπεὶ πρῶτον ἀγαθὸν τοῦτο καὶ σύμφυτον, διὰ τοῦτο καὶ οὐ πᾶσαν ἡδονὴν αἱρούμεθα, ἀλλ' ἔστιν ὅτε πολλὰς ἡδονὰς ὑπερβαίνομεν, ὅταν πλεῖον ἡμῖν τὸ δυσχερὲς ἐκ τούτων ἕπηται· καὶ πολλὰς ἀλγηδόνας ἡδονῶν κρείττους νομίζομεν, ἐπειδὰν μείζων ἡμῖν ἡδονὴ παρακολουθῇ πολὺν χρόνον ὑπομείνασι τὰς ἀλγηδόνας. πᾶσα οὖν ἡδονὴ διὰ τὸ φύσιν ἔχειν οἰκείαν ἀγαθόν, οὐ πᾶσα μέντοι αἱρετή· καθάπερ καὶ ἀλγηδὼν πᾶσα κακόν, οὐ πᾶσα δὲ ἀεὶ φευκτὴ πεφυκυῖα. 130. Τῇ μέντοι συμμετρήσει καὶ συμφερόντων καὶ ἀσυμφόρων βλέψει ταῦτα πάντα κρίνειν καθήκει· χρώμεθα γὰρ τῷ μὲν ἀγαθῷ κατά τινας χρόνους ὡς κακῷ, τῷ δὲ κακῷ τοὔμπαλιν ὡς ἀγαθῷ.

Καὶ τὴν αὐτάρκειαν δὲ ἀγαθὸν μέγα νομίζομεν, οὐχ ἵνα πάντως τοῖς ὀλίγοις χρώμεθα, ἀλλ' ὅπως ἐὰν μὴ ἔχωμεν τὰ πολλά, τοῖς ὀλίγοις χρώμεθα, πεπεισμένοι γνησίως ὅτι ἥδιστα πολυτελείας ἀπολαύουσιν οἱ ἥκιστα ταύτης δεόμενοι, καὶ ὅτι τὸ μὲν φυσικὸν πᾶν εὐπόριστόν ἐστι, τὸ δὲ κενὸν δυσπόριστον. οἵ τε λιτοὶ χυλοὶ ἴσην πολυτελεῖ διαίτῃ τὴν ἡδονὴν ἐπιφέρουσιν ὅταν ἅπαν τὸ ἀλγοῦν κατ' ἔνδειαν ἐξαιρεθῇ· 131. καὶ μᾶζα καὶ ὕδωρ τὴν ἀκροτάτην ἀποδίδωσιν ἡδονήν, ἐπειδὰν ἐνδέων τις αὐτὰ προσενέγκηται. τὸ συνεθίζειν οὖν ἐν ταῖς ἁπλαῖς καὶ οὐ πολυτελέσι διαίταις καὶ ὑγιείας ἐστὶ συμπληρωτικὸν καὶ πρὸς τὰς ἀναγκαίας τοῦ βίου χρήσεις ἄοκνον ποιεῖ τὸν ἄνθρωπον καὶ τοῖς πολυτελέσιν ἐκ διαλειμμάτων προσερχομένους κρεῖττον ἡμᾶς διατίθησι καὶ πρὸς τὴν τύχην ἀφόβους παρασκευάζει. Ὅταν οὖν λέγωμεν ἡδονὴν τέλος ὑπάρχειν, οὐ τὰς τῶν

se gli mancasse qualcosa e altro da cercare con cui rendere completo il bene dell'anima e del corpo. Allora, infatti, abbiamo bisogno del piacere, quando soffriamo perché il piacere non c'è. Quando non soffriamo, non abbiamo bisogno del piacere. E per questo noi diciamo che il piacere è il principio e il termine del vivere felici. 129. Sappiamo, infatti, che esso è il primo bene e quello a noi più connaturato; e da esso si origina il percorso che porta a scegliere o a rifiutare, su di esso ci basiamo giudicando ogni bene dall'affezione che comporta, assunta come criterio. E poiché esso è il bene primo e il più prossimo alla natura, per ciò stesso non scegliamo ogni piacere ma si dà anche il caso che ne lasciamo da parte molti, quando da essi può venirci un fastidio più grande; e giudichiamo molti dolori preferibili ai piaceri quando, avendo sopportato per molto tempo dei dolori, il piacere che segue è più intenso. Dunque tutti i piaceri, dato che ci sono naturalmente congeniali, sono un bene, ma non per questo si debbono tutti scegliere; allo stesso modo tutti i dolori sono un male, ma non tutti di natura tale che li si debba fuggire. 130. Nel calcolo quindi dei vantaggi e nella valutazione dei danni conviene considerare tutte queste cose. Delle volte infatti ci capita di sperimentare che un bene si rivela per noi un male e, per converso, che un male si rivela un bene.

Giudichiamo un bene grande l'indipendenza dai desideri non al fine di aver sempre a disposizione il minimo, ma perché, se non abbiamo il molto, possiamo accontentarci del poco, persuasi fino in fondo che godono con maggior gradimento dell'abbondanza quelli che ne hanno bisogno di meno, e che tutto ciò che è naturale è facilmente ottenibile, mentre ciò che è superfluo si ottiene difficilmente. Una dieta sobria dà lo stesso piacere di una

ἀσώτων ἡδονὰς καὶ τὰς ἐν ἀπολαύσει κειμένας λέγομεν, ὥς τινες ἀγνοοῦντες καὶ οὐχ ὁμολογοῦντες ἢ κακῶς ἐκδεχόμενοι νομίζουσιν, ἀλλὰ τὸ μήτε ἀλγεῖν κατὰ σῶμα μήτε ταράττεσθαι κατὰ ψυχήν. 132. οὐ γὰρ πότοι καὶ κῶμοι συνείροντες οὐδ' ἀπολαύσεις παίδων καὶ γυναικῶν οὐδ' ἰχθύων καὶ τῶν ἄλλων ὅσα φέρει πολυτελὴς τράπεζα τὸν ἡδὺν γεννᾷ βίον, ἀλλὰ νήφων λογισμὸς καὶ τὰς αἰτίας ἐξερευνῶν πάσης αἱρέσεως καὶ φυγῆς καὶ τὰς δόξας ἐξελαύνων ἐξ ὧν πλεῖστος τὰς ψυχὰς καταλαμβάνει θόρυβος.

Τούτων δὲ πάντων ἀρχὴ καὶ τὸ μέγιστον ἀγαθὸν φρόνησις· διὸ καὶ φιλοσοφίας τιμιώτερον ὑπάρχει φρόνησις, ἐξ ἧς αἱ λοιπαὶ πᾶσαι πεφύκασιν ἀρεταί, διδάσκουσα ὡς οὐκ ἔστιν ἡδέως ζῆν ἄνευ τοῦ φρονίμως καὶ καλῶς καὶ δικαίως, ‹οὐδὲ φρονίμως καὶ καλῶς καὶ δικαίως› ἄνευ τοῦ ἡδέως· συμπεφύκασι γὰρ αἱ ἀρεταὶ τῷ ζῆν ἡδέως, καὶ τὸ ζῆν ἡδέως τούτων ἐστὶν ἀχώριστον.

133. Ἐπεὶ τίνα νομίζεις εἶναι κρείττονα τοῦ καὶ περὶ θεῶν ὅσια δοξάζοντος καὶ περὶ θανάτου διὰ παντὸς ἀφόβως ἔχοντος καὶ τὸ τῆς φύσεως ἐπιλελογισμένου τέλος, καὶ τὸ μὲν τῶν ἀγαθῶν πέρας ὡς ἔστιν εὐσυμπλήρωτόν τε καὶ εὐπόριστον διαλαμβάνοντος, τὸ δὲ τῶν κακῶν ὡς ἢ χρόνους ἢ πόνους ἔχει βραχεῖς· τὴν δὲ ὑπό τινων δεσπότιν εἰσαγομένην πάντων †ἀγγελῶντος† ‹εἱμαρμένην καὶ μᾶλλον ἃ μὲν κατ' ἀνάγκην γίνεσθαι λέγοντος›, ἃ δὲ ἀπὸ τύχης, ἃ δὲ παρ' ἡμᾶς διὰ τὸ τὴν μὲν ἀνάγκην ἀνυπεύθυνον εἶναι, τὴν δὲ τύχην ἄστατον ὁρᾶν, τὸ δὲ παρ' ἡμᾶς, ἀδέσποτον, ᾧ καὶ τὸ μεμπτὸν καὶ τὸ ἐναντίον παρακολουθεῖν πέφυκεν 134. (ἐπεὶ κρεῖττον ἦν τῷ περὶ θεῶν μύθῳ κατακολουθεῖν ἢ τῇ τῶν φυσικῶν εἱμαρμένῃ δουλεύειν· ὁ μὲν γὰρ ἐλπίδα παραιτήσεως ὑπογράφει θεῶν διὰ τιμῆς, ἡ δὲ ἀπαραίτητον ἔχει τὴν ἀνάγκην)·

dieta sontuosa una volta che sia stata eliminata la sofferenza della mancanza di cibo; 131. e pane e acqua d'altra parte procurano il piacere più intenso quando li assume chi ne ha bisogno. Abituarsi a cibi semplici e frugali non solo fa bene alla salute, ma rende anche l'uomo risoluto di fronte ai bisogni necessari della vita; se poi, di tanto in tanto, viviamo alla grande, ci mette in una disposizione migliore; infine, ci prepara ad affrontare impavidi i colpi della sorte. Quando dunque diciamo che il fine ultimo è il piacere non ci riferiamo ai piaceri dei dissoluti e a quelli che consistono nei godimenti, come credono alcuni che non conoscono, non apprezzano o interpretano male il nostro pensiero, ma intendiamo il non patire dolore nel corpo e il non essere turbati nell'anima. 132. Non sono, infatti, i conviti e le feste continue, né la pratica sessuale con donne e fanciulli, né il pesce pregiato e tutto quanto offre una mensa raffinata a rendere la vita felice, ma il lucido calcolo che valuta le cause di ogni scelta in positivo o negativo e respinge le false opinioni, fonte del grandissimo turbamento cui vanno soggette le anime.

Di tutte queste cose il principio e il bene maggiore è la saggezza. Perciò addirittura più apprezzabile della filosofia è la saggezza, da cui derivano tutte le altre virtù; quella saggezza che insegna come non sia possibile vivere felici se non si conduce una vita ragionevole, specchiata e giusta, e come non sia d'altra parte possibile condurre una vita ragionevole, specchiata e giusta senza vivere felici. Le virtù sono infatti connaturate alla vita felice e la vita felice è da esse inscindibile.

133. Del resto chi tu giudichi migliore di colui che a proposito degli dèi ha opinioni riverenti, che si comporta di fronte alla morte senza il minimo segno di paura, che

τὴν δὲ τύχην οὔτε θεὸν ὡς, οἱ πολλοὶ νομίζουσιν, ὑπολαμβάνων (οὐθὲν γὰρ ἀτάκτως θεῷ πράττεται) οὔτε ἀβέβαιον αἰτίαν (‹οὐκ› οἴεται μὲν γὰρ ἀγαθὸν ἢ κακὸν ἐκ ταύτης πρὸς τὸ μακαρίως ζῆν ἀνθρώποις δίδοσθαι, ἀρχὰς μέντοι μεγάλων ἀγαθῶν ἢ κακῶν ὑπὸ ταύτης χορηγεῖσθαι), 135. κρεῖττον εἶναι νομίζων εὐλογίστως ἀτυχεῖν ἢ ἀλογίστως εὐτυχεῖν· βέλτιον γὰρ ἐν ταῖς πράξεσι τὸ καλῶς κριθὲν ‹μὴ ὀρθωθῆναι ἢ τὸ μὴ καλῶς κριθὲν› ὀρθωθῆναι διὰ ταύτην.

Ταῦτα οὖν καὶ τὰ τούτοις συγγενῆ μελέτα πρὸς σεαυτὸν ἡμέρας, καὶ νυκτὸς πρός τὸν ὅμοιον σεαυτῷ, καὶ οὐδέποτε οὔθ' ὕπαρ οὔτ' ὄναρ διαταραχθήσῃ, ζήσῃ δὲ ὡς θεὸς ἐν ἀνθρώποις. οὐθὲν γὰρ ἔοικε θνητῷ ζῴῳ ζῶν ἄνθρωπος ἐν ἀθανάτοις ἀγαθοῖς.

è consapevole di quale sia il fine della natura e ha perfettamente chiaro in mente che il massimo dei beni si raggiunge facilmente né si pena a procurarselo, mentre il massimo dei mali dura poco e comporta una pena limitata? Proclamando quello che da alcuni è presentato come il padrone di tutte le cose, il fato, e soprattutto sostenendo che alcune cose avvengono per necessità,[2] altre per caso, altre a nostro arbitrio, la necessità è irresponsabile, il caso è instabile; invece il nostro arbitrio è libero e per questo gli è proprio conseguire biasimo o meritare approvazione. 134. Era in fondo meglio credere al racconto mitologico sugli dèi piuttosto che essere schiavi del destino dei "fisici". Quello almeno delinea la speranza di poter placare gli dèi rendendo loro onore, questo invece ha una necessità implacabile. Quanto al caso, non lo stima né una divinità, come credono i più (niente viene fatto da un dio senza un piano ordinato), né un principio causale senza un reale fondamento. Non crede, infatti, che da esso possano derivare agli uomini alcun bene o alcun male rispetto al vivere felici, ma che esso sia il punto di partenza di grandi beni e di grandi mali. 135. Reputa meglio essere saggiamente sfortunati che stoltamente fortunati; infatti nelle azioni è meglio che ciò che è stato rettamente giudicato non abbia un buon esito, piuttosto che abbia un buon esito, grazie alla sorte, ciò che non è stato giudicato rettamente.

Pertanto medita su queste cose e su cose affini giorno e notte dentro di te e in compagnia di chi ti è simile e mai, né da sveglio né abbandonato al sonno, sarai turbato, ma vivrai come un dio tra gli uomini. Non è infatti simile a un essere mortale l'uomo che vive fra beni immortali.

---

[2] *e soprattutto... per necessità*: parte di testo molto corrotta e lacunosa.

I

Τὸ μακάριον καὶ ἄφθαρτον οὔτε αὐτὸ πράγματα ἔχει οὔτε ἄλλῳ παρέχει, ὥστε οὔτε ὀργαῖς οὔτε χάρισι συνέχεται· ἐν ἀσθενεῖ γὰρ πᾶν τὸ τοιοῦτον. [ἐν ἄλλοις δέ φησι τοὺς θεοὺς λόγῳ θεωρητούς, οὓς μὲν κατ' ἀριθμὸν ὑφεστῶτας, οὓς δὲ καθ' ὁμοείδειαν ἐκ τῆς συνεχοῦς ἐπιρρύσεως τῶν ὁμοίων εἰδώλων ἐπὶ τὸ αὐτὸ ἀποτετελεσμένων, ἀνθρωποειδεῖς].

II

Ὁ θάνατος οὐδὲν πρὸς ἡμᾶς· τὸ γὰρ διαλυθὲν ἀναισθητεῖ· τὸ δ' ἀναισθητοῦν οὐδὲν πρὸς ἡμᾶς.

III

Ὅρος τοῦ μεγέθους τῶν ἡδονῶν ἡ παντὸς τοῦ ἀλγοῦντος ὑπεξαίρεσις. ὅπου δ' ἂν τὸ ἡδόμενον ἐνῇ, καθ' ὃν ἂν χρόνον ᾖ, οὐκ ἔστι τὸ ἀλγοῦν ἢ τὸ λυπούμενον ἢ τὸ συναμφότερον.

Massime sulla felicità

I

L'essere beato e immortale non ha affanni di per sé né li procura agli altri, cosicché non è condizionato né dalla collera né dalla benevolenza. Tutto ciò contraddistingue l'essere debole. [In altre opere poi afferma che gli dèi sono visibili con la ragione, che non esistono separatamente per numero, in certo modo, per un'immagine che si mantiene inalterata per effetto del flusso continuo dei simulacri simili, che vanno a terminare sul medesimo soggetto, in forma umana.]

II

La morte per noi non è nulla: ciò che infatti si è dissolto è insensibile, e ciò che è insensibile non ha niente a che fare con noi.

III

La sottrazione di ogni dolore è il criterio di misura della grandezza dei piaceri. Quando ci sia piacere, e per tutto il tempo che il piacere duri, non c'è né dolore fisico, né afflizione spirituale, né entrambe le cose.

IV

Οὐ χρονίζει τὸ ἀλγοῦν συνεχῶς ἐν τῇ σαρκί, ἀλλὰ τὸ μὲν ἄκρον τὸν ἐλάχιστον χρόνον πάρεστι, τὸ δὲ μόνον ὑπερτεῖνον τὸ ἡδόμενον κατὰ σάρκα οὐ πολλὰς ἡμέρας συμβαίνει· αἱ δὲ πολυχρόνιοι τῶν ἀρρωστιῶν πλεονάζον ἔχουσι τὸ ἡδόμενον ἐν τῇ σαρκὶ ἤπερ τὸ ἀλγοῦν.

V

Οὐκ ἔστιν ἡδέως ζῆν ἄνευ τοῦ φρονίμως καὶ καλῶς καὶ δικαίως, ‹οὐδὲ φρονίμως καὶ καλῶς καὶ δικαίως› ἄνευ τοῦ ἡδέως. ὅτῳ δὲ τοῦτο μὴ ὑπάρχει ἐξ οὗ ζῇ φρονίμως, καὶ καλῶς καὶ δικαίως ὑπάρχει, οὐκ ἔστι τοῦτον ἡδέως ζῆν.

VI

Ἕνεκα τοῦ θαρρεῖν ἐξ ἀνθρώπων ἦν κατὰ φύσιν [ἀρχῆς καὶ βασιλείας] ἀγαθόν, ἐξ ὧν ἄν ποτε τοῦτο οἷός τ' ᾖ παρασκευάζεσθαι.

VII

Ἔνδοξοι καὶ περίβλεπτοί τινες ἐβουλήθησαν γενέσθαι, τὴν ἐξ ἀνθρώπων ἀσφάλειαν οὕτω νομίζοντες περιποιήσεσθαι. ὥστε, εἰ μὲν ἀσφαλὴς ὁ τῶν τοιούτων βίος, ἀπέλαβον τὸ τῆς φύσεως ἀγαθόν· εἰ δὲ μὴ ἀσφαλής, οὐκ

IV

Il dolore nella carne non ha una durata infinita, la fase acuta dura pochissimo tempo, così come ciò che è appena al di sopra del benessere fisico non dura molti giorni. Si può addirittura dire che le malattie croniche procurano alla carne più piacere che dolore.

V

Non è possibile vivere felici senza condurre una vita saggia, specchiata e giusta, né condurre una vita saggia, specchiata e giusta senza essere felici. Chi non realizza questa condizione, ovvero non vive in modo assennato, specchiato e giusto, non può vivere felice.

VI

Al fine di non temere gli uomini, sono da considerare beni secondo natura il potere e la regalità, posto che fosse mai possibile ottenere tanto con questi mezzi.

VII

Alcuni hanno voluto diventare famosi e illustri pensando così di garantirsi una sicurezza rispetto agli uomini: se in questo modo la loro vita è tranquilla, hanno conseguito il bene secondo natura; se invece non è tranquilla, non

ἔχουσιν οὗ ἕνεκα ἐξ ἀρχῆς κατὰ τὸ τῆς φύσεως οἰκεῖον ὠρέχθησαν.

VIII

Οὐδεμία ἡδονὴ καθ' εαυτήν κακόν· ἀλλὰ τὰ τινῶν ἡδονῶν ποιητικὰ πολλαπλασίους ἐπιφέρει τὰς ὀχλήσεις τῶν ἡδονῶν.

IX

Εἰ κατεπυκνοῦτο πᾶσα ἡδονή τ‹όπ›ῳ καὶ χρόνῳ καὶ περὶ ὅλον τὸ ἄθροισμα ὑπῆρχεν ἢ τὰ κυριώτατα μέρη τῆς φύσεως, οὐκ ἄν ποτε διέφερον ἀλλήλων αἱ ἡδοναί.

X

Εἰ τὰ ποιητικὰ τῶν περὶ τοὺς ἀσώτους ἡδονῶν ἔλυε τοὺς φόβους τῆς διανοίας τούς τε περὶ μετεώρων καὶ θανάτου καὶ ἀλγηδόνων, ἔτι τε τὸ πέρας τῶν ἐπιθυμιῶν ἐδίδασκεν, οὐκ ἄν ποτε εἴχομεν ὅ τι μεμψαίμεθα αὐτοῖς πανταχόθεν ἐκπληρουμένοις τῶν ἡδονῶν καὶ οὐθαμόθεν οὔτε τὸ ἀλγοῦν οὔτε τὸ λυπούμενον ἔχουσιν, ὅπερ ἐστὶ τὸ κακόν.

dispongono di ciò per cui all'inizio si sono mossi sotto lo stimolo di un impulso naturale.

VIII

Di per sé, nessun piacere è un male. Tuttavia gli effetti che procurano certi piaceri arrecano molti più turbamenti che appagamenti.

IX

Se ogni piacere potesse concentrarsi nello spazio e nel tempo e coinvolgere tutto il nostro essere o le componenti determinanti della nostra natura, i piaceri non sarebbero mai diversi tra loro.

X

Se i fattori che producono i piaceri per i dissoluti dissolvessero le paure della loro mente a proposito delle cose celesti, della morte e del dolore, e ancora se si insegnasse loro la misura dei desideri e delle afflizioni, non avremmo in questo caso motivo di biasimarli, perché sarebbero del tutto appagati dai piaceri, non patendo o penando nell'anima e nel corpo, il che è giustappunto il male.

XI

Εἰ μηθὲν ἡμᾶς αἱ τῶν μετεώρων ὑποψίαι ἠνώχλουν καὶ αἱ περὶ θανάτου, μή ποτε πρὸς ἡμᾶς ᾖ τι, ἔτι τε τὸ μὴ κατανοεῖν τοὺς ὅρους τῶν ἀλγηδόνων καὶ τῶν ἐπιθυμιῶν, οὐκ ἂν προσεδεόμεθα φυσιολογίας.

XII

Οὐκ ἦν τὸ φοβούμενον λύειν ὑπὲρ τῶν κυριωτάτων μὴ κατειδότα τίς ἡ τοῦ σύμπαντος φύσις, ἀλλ᾽ ὑποπτεύοντά τι τῶν κατὰ τοὺς μύθους· ὥστε οὐκ ἦν ἄνευ φυσιολογίας ἀκεραίους τὰς ἡδονὰς ἀπολαμβάνειν.

XIII

Οὐθὲν ὄφελος ἦν τὴν κατ᾽ ἀνθρώπους ἀσφάλειαν κατασκευάζεσθαι τῶν ἄνωθεν ὑπόπτων καθεστώτων καὶ τῶν ὑπὸ γῆς καὶ ἁπλῶς τῶν ἐν τῷ ἀπείρῳ.

XIV

Τῆς ἀσφαλείας τῆς ἐξ ἀνθρώπων γενομένης μέχρι τινὸς δυνάμει τε ἐξερειστικῇ καὶ εὐπορίᾳ, εἰλικρινεστάτη γίνεται ἡ ἐκ τῆς ἡσυχίας καὶ ἐκχωρήσεως τῶν πολλῶν ἀσφάλεια.

XI

Se non ci turbassero i timori delle cose celesti e della morte, nel dubbio che possano avere qualche relazione con noi, e la non conoscenza dei limiti dei dolori e dei desideri, non avremmo bisogno di una scienza della natura.

XII

Non era possibile sciogliere i timori sulle questioni di fondo ignorando quale fosse la natura dell'universo e vivendo invece nel sospetto indotto dai miti. In tal modo non era possibile conseguire piaceri puri senza la scienza della natura.

XIII

Non giovava a nulla procurarsi sicurezza rispetto agli uomini restando immutati dubbi e paure circa le cose del cielo e del mondo intero e in generale di ciò che accade nell'universo.

XIV

Una volta conseguita la sicurezza dagli uomini grazie a un certo grado di agiatezza e abbondanza, diventa purissima la sicurezza che deriva dalla tranquillità e da una vita appartata dalla folla.

XV

Ὁ τῆς φύσεως πλοῦτος καὶ ὥρισται καὶ εὐπόριστός ἐστιν· ὁ δὲ τῶν κενῶν δοξῶν εἰς ἄπειρον ἐκπίπτει.

XVI

Βραχέα σοφῷ τύχη παρεμπίπτει, τὰ δὲ μέγιστα καὶ κυριώτατα ὁ λογισμὸς διῴκηκε καὶ κατὰ τὸν συνεχῆ χρόνον τοῦ βίου διοικεῖ καὶ διοικήσει.

XVII

Ὁ δίκαιος ἀταρακτότατος, ὁ δ' ἄδικος πλείστης ταραχῆς γέμων.

XVIII

Οὐκ ἐπαύξεται ἐν τῇ σαρκὶ ἡ ἡδονὴ ἐπειδὰν ἅπαξ τὸ κατ' ἔνδειαν ἀλγοῦν ἐξαιρεθῇ, ἀλλὰ μόνον ποικίλλεται. τῆς δὲ διανοίας τὸ πέρας τὸ κατὰ τὴν ἡδονὴν ἀπεγέννησεν ἥ τε τούτων αὐτῶν ἐκλόγισις καὶ τῶν ὁμογενῶν τούτοις ὅσα τοὺς μεγίστους φόβους παρεσκεύαζε τῇ διανοίᾳ.

XV

La ricchezza secondo natura ha limiti precisi e si ottiene facilmente, quella invece che postulano le vane opinioni va all'infinito.

XVI

Conta poco la fortuna per il saggio: le cose più grandi e importanti le ha procurate la ragione e per tutta la durata della vita le provvede e le provvederà.

XVII

Il giusto è tranquillissimo, l'ingiusto in preda alla più grande inquietudine.

XVIII

Non aumenta il piacere nella carne una volta che sia stato tolto del tutto il dolore per ciò che mancava, ma semplicemente varia. Il limite che l'anima pone ai piaceri (della carne) proviene da un'accurata disamina sia di questi stessi sia di quelli simili, tutte cose che procurano allo spirito grandissime paure.

XIX

Ὁ ἄπειρος χρόνος ἴσην ἔχει τὴν ἡδονὴν καὶ ὁ πεπερασμένος, ἐάν τις αὐτῆς τὰ πέρατα καταμετρήσῃ τῷ λογισμῷ.

XX

Ἡ μὲν σὰρξ ἀπέλαβε τὰ πέρατα τῆς ἡδονῆς ἄπειρα, καὶ ἄπειρος αὐτὴν χρόνος παρεσκεύασεν. ἡ δὲ διάνοια τοῦ τῆς σαρκὸς τέλους καὶ πέρατος λαβοῦσα τὸν ἐπιλογισμὸν καὶ τοὺς ὑπὲρ τοῦ αἰῶνος φόβους ἐκλύσασα τὸν παντελῆ βίον παρεσκεύασεν, καὶ οὐθὲν ἔτι τοῦ ἀπείρου χρόνου προσεδεήθη· ἀλλ᾽ οὔτ᾽ ἔφυγε τὴν ἡδονήν, οὔθ᾽ ἡνίκα τὴν ἐξαγωγὴν ἐκ τοῦ ζῆν τὰ πράγματα παρεσκεύαζεν, ὡς ἐλλείπουσά τι τοῦ ἀρίστου κατέστρεφεν.

XXI

Ὁ τὰ πέρατα τοῦ βίου κατειδὼς οἶδεν, ὡς εὐπόριστόν ἐστι τὸ ‹τὸ› ἀλγοῦν κατ᾽ ἔνδειαν ἐξαιροῦν καὶ τὸ τὸν ὅλον βίον παντελῆ καθιστάν· ὥστε οὐδὲν προσδεῖται πραγμάτων ἀγῶνας κεκτημένων.

XXII

Τὸ ὑφεστηκὸς δεῖ τέλος ἐπιλογίζεσθαι καὶ πᾶσαν τὴν ἐνάργειαν, ἐφ᾽ ἣν τὰ δοξαζόμενα ἀνάγομεν· εἰ δὲ μή, πάντα ἀκρισίας καὶ ταραχῆς ἔσται μεστά.

XIX

Il tempo infinito e quello finito sono la stessa cosa rispetto al piacere per chi ne misura i limiti con la ragione.

XX

La carne non pone confini al piacere e illimitato è il tempo che lo fornisce. La ragione, valutando le esigenze della carne e il loro giusto limite e dissolti i timori dell'eternità, organizza la vita in modo perfetto e non necessita oltre questa di un tempo infinito. Tuttavia né fugge il piacere, né, quando le circostanze comportano di lasciare la vita, viene meno come se le mancasse qualcosa al compimento di una vita eccellente.

XXI

Chi è consapevole della limitatezza della vita sa che è facile eliminare il dolore che deriva dal bisogno e ordinare perfettamente tutta la vita, così da non aver bisogno di nessuna delle cose che comportino conflitti.

XXII

Occorre valutare accuratamente il fine oggettivo e l'evidenza a cui ricondurre le opinioni, altrimenti tutto sarà pieno di dubbi e inquietudini.

XXIII

Εἰ μάχῃ πάσαις ταῖς αἰσθήσεσιν, οὐχ ἕξεις οὐδ' ἃς ἂν φῇς αὐτῶν διεψεῦσθαι πρὸς τί ποιούμενος τὴν ἀναγωγὴν κρίνῃς.

XXIV

Εἴ τιν' ἐκβαλεῖς ἁπλῶς αἴσθησιν καὶ μὴ διαιρήσεις τὸ δοξαζόμενον κατὰ τὸ προσμένον καὶ τὸ παρὸν ἤδη κατὰ τὴν αἴσθησιν καὶ τὰ πάθη καὶ πᾶσαν φανταστικὴν ἐπιβολὴν τῆς διανοίας, συνταράξεις καὶ τὰς λοιπὰς αἰσθήσεις τῇ ματαίῳ δόξῃ, ὥστε τὸ κριτήριον ἅπαν ἐκβαλεῖς. εἰ δὲ βεβαιώσεις καὶ τὸ προσμένον ἅπαν ἐν ταῖς δοξαστικαῖς ἐννοίαις καὶ τὸ μὴ τὴν ἐπιμαρτύρησιν, ‹...› οὐκ ἐκλείψεις τὸ διεψευσμένον· ὡς τετηρηκὼς ἔσῃ πᾶσαν ἀμφισβήτησιν κατὰ πᾶσαν κρίσιν τοῦ ὀρθῶς ἢ μὴ ὀρθῶς.

XXV

Εἰ μὴ παρὰ πάντα καιρὸν ἐπανοίσεις ἕκαστον τῶν πραττομένων ἐπὶ τὸ τέλος τῆς φύσεως, ἀλλὰ προκαταστρέψεις εἴτε φυγὴν εἴτε δίωξιν ποιούμενος εἰς ἄλλο τι, οὐκ ἔσονταί σοι τοῖς λόγοις αἱ πράξεις ἀκόλουθοι.

XXIII

Se ti opporrai a tutte le sensazioni non avrai nemmeno, a proposito di quelle che tu definisci fallaci, un criterio di riferimento per giudicarle.

XXIV

Se in ogni caso rifiuterai qualche sensazione senza discriminare tra ciò che è pura opinione, ciò che attende verifica e ciò che è già evidente in base alle sensazioni, ai sentimenti e ai risultati dell'attività mentale, porterai confusione anche fra le altre sensazioni con un'opinione stolta, così da privarti di ogni criterio. Se poi nel tuo modo di pensare relativo alle opinioni darai per buono sia tutto ciò che attende conferma sia ciò che non ha prova, non potrai fuggire l'errore, perché avrai mantenuto un'ambiguità totale in ogni giudizio su ciò che è giusto e su ciò che non è giusto.

XXV

Se in ogni momento non rapporterai ogni azione al fine della natura, ma nello scegliere sia di agire sia di astenersi farai riferimento a qualcosa d'altro, le tue azioni non saranno d'accordo con i tuoi discorsi.

XXVI

Τῶν ἐπιθυμιῶν ὅσαι μὴ ἐπ' ἀλγοῦν ἐπανάγουσιν ἐὰν μὴ συμπληρωθῶσιν, οὐκ εἰσὶν ἀναγκαῖαι, ἀλλ' εὐδιάχυτον τὴν ὄρεξιν ἔχουσιν, ὅταν δυσπόριστοι ἢ βλάβης ἀπεργαστικαὶ δόξωσιν εἶναι.

XXVII

Ὧν ἡ σοφία παρασκευάζεται εἰς τὴν τοῦ ὅλου βίου μακαριότητα, πολὺ μέγιστόν ἐστιν ἡ τῆς φιλίας κτῆσις.

XXVIII

Ἡ αὐτὴ γνώμη θαρρεῖν τε ἐποίησεν ὑπὲρ τοῦ μηθὲν αἰώνιον εἶναι δεινὸν μηδὲ πολυχρόνιον, καὶ τὴν ἐν αὐτοῖς τοῖς ὡρισμένοις ἀσφάλειαν φιλίας μάλιστα κατεῖδε συντελουμένην.

XXIX

Τῶν ἐπιθυμιῶν αἱ μέν εἰσι φυσικαὶ καὶ ‹ἀναγκαῖαι, αἱ δὲ φυσικαὶ καὶ› οὐκ ἀναγκαῖαι, αἱ δὲ οὔτε φυσικαὶ οὔτ' ἀναγκαῖαι ἀλλὰ παρὰ κενὴν δόξαν γινόμεναι. [φυσικὰς καὶ ἀναγκαίας ἡγεῖται ὁ Ἐπίκουρος τὰς ἀλγηδόνος ἀπολυούσας, ὡς ποτὸν ἐπὶ δίψους· φυσικὰς δὲ οὐκ ἀναγκαίας δὲ τὰς ποικιλλούσας μόνον τὴν ἡδονήν, μὴ ὑπεξαιρουμένας δὲ τὸ ἄλγημα, ὡς πολυτελῆ σιτία· οὔτε

XXVI

Quanti, fra i desideri, non portano al dolore se non vengono soddisfatti, non sono necessari, ma sono accompagnati da un desiderio che si smorza più facilmente quando si mostrano indirizzati a cose difficili da conseguire o produttrici di danno.

XXVII

Di tutto ciò che la sapienza procura per la felicità completa della vita il bene più grande è il possesso dell'amicizia.

XXVIII

Quella considerazione che ci ha incoraggiato a ritenere che nessun male è eterno o durevole per molto tempo è la medesima che ci attesta in queste condizioni limitate che si può far soprattutto affidamento sull'amicizia.

XXIX

Dei desideri alcuni sono naturali e necessari, altri naturali ma non necessari, altri né naturali né necessari, ma frutto di vane opinioni. [Epicuro ritiene naturali e necessari quei desideri che ci liberano dai dolori, come il bere quando si ha sete; naturali e non necessari quei desideri che variano solo il piacere, non togliendo i dolori, come una mensa raffinata; né naturali né necessari come l'avere corone e statue.]

δὲ φυσικὰς οὔτ᾽ ἀναγκαίας, ὡς στεφάνους καὶ ἀνδριάντων ἀναθέσεις.]

XXX

Ἐν αἷς τῶν φυσικῶν ἐπιθυμιῶν, μὴ ἐπ᾽ ἀλγοῦν δὲ ἐπαναγουσῶν ἐὰν μὴ συντελεσθῶσιν, ὑπάρχει ἡ σπουδὴ σύντονος, παρὰ κενὴν δόξαν αὗται γίνονται καὶ οὐ παρὰ τὴν ἑαυτῶν φύσιν οὐ διαχέονται ἀλλὰ παρὰ τὴν τοῦ ἀνθρώπου κενοδοξίαν.

XXXI

Τὸ τῆς φύσεως δίκαιόν ἐστι σύμβολον τοῦ συμφέροντος εἰς τὸ μὴ βλάπτειν ἀλλήλους μηδὲ βλάπτεσθαι.

XXXII

Ὅσα τῶν ζῴων μὴ ἐδύνατο συνθήκας ποιεῖσθαι τὰς ὑπὲρ τοῦ μὴ βλάπτειν ἄλλ‹ηλ›α μηδὲ βλάπτεσθαι, πρὸς ταῦτα οὐθὲν ἦν δίκαιον οὐδὲ ἄδικον. ὡσαύτως δὲ καὶ τῶν ἐθνῶν ὅσα μὴ ἐδύνατο ἢ μὴ ἐβούλετο τὰς συνθήκας ποιεῖσθαι τὰς ὑπὲρ τοῦ μὴ βλάπτειν μηδὲ βλάπτεσθαι.

XXX

Tra i desideri naturali che non procurano dolore se non vengono realizzati, quelli in cui c'è forte coinvolgimento emotivo nascono sulla base di vane opinioni e non si smorzano con difficoltà per la loro intrinseca natura, ma per il vaneggiare umano.

XXXI

Il giusto secondo natura corrisponde a ciò che si rivela utile per non danneggiare gli altri e non essere da essi danneggiati.

XXXII

Non esiste il giusto o l'ingiusto per tutti quegli animali che non hanno potuto stringere patti al fine di non recarsi reciprocamente danno; la stessa cosa si deve dire a proposito di tutti quei popoli che non hanno potuto o non hanno voluto sottoscrivere patti relativi al non fare o subire danno.

XXXIII

Οὐκ ἦν τι καθ' ἑαυτὸ δικαιοσύνη, ἀλλ' ἐν ταῖς μετ' ἀλλήλων συστροφαῖς καθ' ὁπηλίκους δήποτε ἀεὶ τόπους συνθήκη τις ὑπὲρ τοῦ μὴ βλάπτειν ἢ βλάπτεσθαι.

XXXIV

Ἡ ἀδικία οὐ καθ' ἑαυτὴν κακόν, ἀλλ' ἐν τῷ κατὰ τὴν ὑποψίαν φόβῳ εἰ μὴ λήσει τοὺς ὑπὲρ τῶν τοιούτων ἐφεστηκότας κολαστάς.

XXXV

Οὐκ ἔστι τὸν λάθρᾳ τι ποιοῦντα ὧν συνέθεντο πρὸς ἀλλήλους εἰς τὸ μὴ βλάπτειν μηδὲ βλάπτεσθαι πιστεύειν ὅτι λήσει, κἂν μυριάκις ἐπὶ τοῦ παρόντος λανθάνῃ· μέχρι μὲν καταστροφῆς ἄδηλον εἰ καὶ λήσει.

XXXVI

Κατὰ μὲν ‹τὸ› κοινὸν πᾶσι τὸ δίκαιον τὸ αὐτό, συμφέρον γάρ τι ἦν ἐν τῇ πρὸς ἀλλήλους κοινωνίᾳ· κατὰ δὲ τὸ ἴδιον χώρας καὶ ὅσων δήποτε αἰτίων οὐ πᾶσι συνέπεται τὸ αὐτὸ δίκαιον εἶναι.

XXXIII

La giustizia non è qualcosa che esiste di per sé, ma che esiste solo nei rapporti reciproci e comunque sempre in relazione ai luoghi dove si stipula una qualche forma di contratto per non danneggiare e non essere danneggiati.

XXXIV

L'ingiustizia non è un male di per sé, ma in rapporto alla paura che induce facendo sospettare di non riuscire a sfuggire a coloro che sono preposti a punire azioni contro la legge.

XXXV

Non può, chi fa di nascosto qualcosa di contrario a patti reciproci per non far danno né riceverlo, fare affidamento sul fatto che non sarà scoperto, anche se gli riesce di continuo e un'infinità di volte di non essere scoperto; non è infatti scontato che potrà restare nell'ombra fino alla morte.

XXXVI

In generale il diritto è lo stesso per tutti, visto che praticamente corrisponde all'utile nelle relazioni reciproche; tuttavia nel dettaglio di un determinato luogo o delle varie cause che ne sono all'origine si verifica che non per tutti è giusta la stessa cosa.

XXXVII

Τὸ μὲν ἐπιμαρτυρούμενον ὅτι συμφέρει ἐν ταῖς χρείαις τῆς πρὸς ἀλλήλους κοινωνίας τῶν νομισθέντων εἶναι δικαίων ἔχει τὸ ἐν τοῦ δικαίου χώρᾳ εἶναι, ἐάν τε τὸ αὐτὸ πᾶσι γένηται ἐάν τε μὴ τὸ αὐτό. ἐὰν δὲ νόμον θῆταί τις, μὴ ἀποβαίνῃ δὲ κατὰ τὸ συμφέρον τῆς πρὸς ἀλλήλους κοινωνίας, οὐκέτι τοῦτο τὴν τοῦ δικαίου φύσιν ἔχει. κἂν μεταπίπτῃ τὸ κατὰ τὸ δίκαιον συμφέρον χρόνον δέ τινα εἰς τὴν πρόληψιν ἐναρμόττῃ, οὐδὲν ἧττον ἐκεῖνον τὸν χρόνον ἦν δίκαιον τοῖς μὴ φωναῖς κεναῖς ἑαυτοὺς συνταράττουσιν ἀλλ' ἁπλῶς εἰς τὰ πράγματα βλέπουσιν.

XXXVIII

Ἔνθα μὴ καινῶν γενομένων τῶν περιεστώτων πραγμάτων ἀνεφάνη μὴ ἁρμόττοντα εἰς τὴν πρόληψιν τὰ νομισθέντα δίκαια ἐπ' αὐτῶν ἔργων, οὐκ ἦν ταῦτα δίκαια. ἔνθα δὲ καινῶν γενομένων τῶν πραγμάτων οὐκ ἔτι συνέφερε τὰ αὐτὰ δίκαια κείμενα, ἐνταῦθα δὲ τότε μὲν ἦν δίκαια, ὅτε συνέφερεν εἰς τὴν πρὸς ἀλλήλους κοινωνίαν τῶν συμπολιτευομένων· ὕστερον δ' οὐκ ἦν ἔτι δίκαια, ὅτε μὴ συνέφερεν.

XXXIX

Ὁ τὸ μὴ θαρροῦν ἀπὸ τῶν ἔξωθεν ἄριστα συστησάμενος οὗτος τὰ μὲν δυνατὰ ὁμόφυλα κατεσκευάσατο, τὰ δὲ μὴ δυνατὰ οὐκ ἀλλόφυλά γε· ὅσα δὲ μηδὲ τοῦτο δυνατὸς

XXXVII

Ciò di cui, fra le cose prescritte come giuste dalla legge, è provato che è utile nei rapporti reciproci necessari all'interno di una società, deve essere principio di giustizia, tanto se è uguale per tutti quanto se non lo è. Ma se viene posta una legge che non risulti conforme all'utile dei rapporti reciproci, tale legge non ha più fondamento nel giusto secondo natura. E se anche dovesse decadere l'utile secondo il diritto, dopo aver per un certo periodo di tempo corrisposto alla sua prenozione, non per questo in quel lasso di tempo era meno giusto per quelli che non si lasciano turbare da chiacchiere vuote ma guardano ai fatti.

XXXVIII

Se in circostanze immutate risulta dai fatti che cose prescritte come giuste dalla legge non sono conformi alla prenozione del giusto, significa che tali cose non erano giuste. Se invece in circostanze mutate le stesse prescrizioni che erano giuste non sono più utili, vuol dire che erano giuste quando erano utili per i rapporti di convivenza civile, ma che poi hanno cessato di essere giuste perché utili non lo erano più.

XXXIX

Colui che ha ottimamente disposto le sue cose, per non essere turbato da eventi esterni, si è reso affine quanto possibile, senza considerare estraneo del tutto quanto

ἦν, ἀνεπίμεικτος ἐγένετο, καὶ ἐξωρίσατο ὅσα τοῦτ' ἐλυσιτέλει πράττειν.

XL

Ὅσοι τὴν δύναμιν ἔσχον τοῦ τὸ θαρρεῖν μάλιστα ἐκ τῶν ὁμορούντων παρασκευάσασθαι, οὕτω καὶ ἐβίωσαν μετ' ἀλλήλων ἥδιστα τὸ βεβαιότατον πίστωμα ἔχοντες, καὶ πληρεστάτην οἰκειότητα ἀπολαβόντες οὐκ ὠδύραντο ὡς πρὸς ἔλεον τὴν τοῦ τελευτήσαντος προκαταστροφήν.

non possibile. Ma in rapporto a tutte quelle cose che non rendono praticabile tale comportamento se ne tiene assolutamente al di fuori e si regola scegliendo ciò che è utile a tale scopo.

XL

Quanti hanno avuto la possibilità di procurarsi la sicurezza soprattutto dai vicini vivono fra di loro in modo piacevolissimo, avendo saldissima fiducia l'uno nell'altro e, pur avendo i più stretti rapporti di familiarità, non piangono sotto forma di commiserazione la scomparsa prematura di chi muore.

4

Πᾶσα ἀλγηδὼν εὐκαταφρόνητος· ἡ γὰρ σύντονον ἔχουσα τὸ πονοῦν σύντομον ἔχει τὸν χρόνον, ἡ δὲ χρονίζουσα περὶ τὴν σάρκα ἀβληχρὸν ἔχει τὸν πόνον.

9

Κακὸν ἀνάγκη, ἀλλ' οὐδεμία ἀνάγκη ζῆν μετὰ ἀνάγκης.

11

Τῶν πλείστων ἀνθρώπων τὸ μὲν ἡσύχαζον ναρκᾷ, τὸ δὲ κινούμενον λύττα.

14

Γεγόναμεν ἅπαξ, δὶς δὲ οὐκ ἔστι γενέσθαι· δεῖ δὲ τὸν αἰῶνα μηκέτι εἶναι· σὺ δὲ οὐκ ὢν τῆς αὔριον κύριος ἀνα-

Sentenze sulla felicità

4

È facile giungere al disprezzo di ogni dolore: quello infatti che comporta una pena acutissima ha breve durata, quello che dura a lungo nel corpo è di blanda intensità.

9

La necessità è un male, ma non c'è alcuna necessità di vivere nella necessità.

11

Per la maggior parte degli uomini l'inattività dà torpore, l'attività fa impazzire.

14

Nasciamo una volta sola, due volte non è possibile che accada ed è necessario non essere più per l'eternità. Tu,

βάλλῃ τὸ χαῖρον· ὁ δὲ βίος μελλησμῷ παραπόλλυται καὶ εἷς ἕκαστος ἡμῶν ἀσχολούμενος ἀποθνῄσκει.

15

Ἤθη ὥσπερ τὰ ἡμῶν αὐτῶν ἰδία τιμῶμεν, ἄν τε χρηστὰ ἔχωμεν, καὶ ὑπὸ τῶν ἀνθρώπων ζηλούμενα, ἄν τε μὴ οὕτω χρῇ καὶ ‹τὰ› τῶν πελας, ἂν ἐπιεικεῖς ὦσιν.

16

Οὐδεὶς βλεπῶν τὸ κακὸν αἱρεῖται αὐτὸ ἀλλὰ δελεασθείς ὡς ἀγαθῷ πρὸς τὸ μεῖζον αὐτοῦ κακὸν ἐθηρεύθη.

17

Οὐ νέος μακαριστὸς ἀλλὰ γερῶν βεβιωκὼς καλῶς· ὁ γὰρ νέος ἀκμὴ πολὺς ὑπὸ τῆς τύχης ἑτερόφρονων πλαζεται· ὁ δὲ γερῶν καθάπερ ἐν λιμένι τῷ γηρᾷ καθώρμικεν, τὰ πρότερον δυσελπιστούμενα τῶν ἀγαθῶν ἀσφαλεῖ κατακλείσας χάριτι.

pur non essendo padrone del domani, rimandi la felicità: nel frattempo la vita passa e ciascuno di noi muore senza aver mai smesso di affannarsi.

15

Rispettiamo le nostre abitudini come cose che ci appartengono intimamente, che siano o no buone e invidiate dagli altri uomini. Occorre assumere lo stesso atteggiamento nei confronti di quelle degli altri, se sono a modo.

16

Nessuno, se vede il male, lo sceglie in quanto tale, ma perché si inganna valutando che sia un bene rispetto a un male maggiore di quello.

17

Felice non è il giovane, ma il vecchio che è vissuto bene. Il giovane infatti nel fiore dell'età è particolarmente esposto al capriccio della sorte; il vecchio invece è giunto alla vecchiaia come a un porto, con la confortante certezza di aver acquisito beni in cui prima riponeva una speranza incerta.

18

Ἀφαιρουμένης προσόψεως καὶ ὁμιλίας καὶ συναναστροφῆς ἐκλύεται τὸ ἐρωτικὸν πάθος.

19

Τοῦ γεγονότος ἀμνήμων ἀγαθοῦ γέρων τήμερον γεγένηται.

21

Οὐ βιαστέον τὴν φύσιν ἀλλὰ πειστέον· πείσομεν δὲ τὰς ἀνάγκας ἐπιθυμίας ἐκπληροῦντες, τάς τε φυσικὰς ἂν μὴ βλάπτωσι, τὰς δὲ βλαβερὰς πικρῶς ἐλέγχοντες.

23

Πᾶσα φιλία δι' ἑαυτὴν αἱρετὴ· ἀρχὴν δὲ εἴληφεν ἀπὸ τῆς ὠφελείας.

24

Ἐνύπνια οὐκ ἔλαχε φύσιν θείαν οὐδὲ μαντικὴν δύναμην, ἀλλὰ γίνεται κατὰ ἔμπτωσιν εἰδώλων.

18

Se si eliminano la vista dell'essere amato, lo scambio verbale e la contiguità fisica la passione amorosa viene meno.

19

Chi si dimentica del bene passato è già vecchio oggi.

21

Non bisogna forzare la natura, ma convincerla. La convinceremo soddisfacendo i desideri necessari e in generale di quelli naturali i desideri che non recano danno, respingendo con determinazione quelli dannosi.

23

Ogni amicizia è di per sé appetibile; la sua origine è l'utilità.

24

I sogni non hanno né un'origine divina né il potere di svelare il futuro, ma si generano da un flusso di immagini.

25

Ἡ πενία μετρουμένη τῷ τῆς φύσεως τέλει μέγας ἐστὶ πλοῦτος· πλοῦτος δὲ μὴ ὁριζόμενος μεγάλη ἐστὶ πενία.

27

Ἐπὶ μὲν τῶν ἄλλων ἐπιτηδευμάτων μόλις τελειωθεῖσιν ὁ καρπὸς ἔρχεται, ἐπὶ δὲ φιλοσοφίας συντρέχει τῇ γνώσει τὸ τερπνὸν οὐ γὰρ μετὰ μάθησιν ἀπόλαυσις, ἀλλὰ ἅμα μάθησις καὶ ἀπόλαυσις.

31

Πρὸς μὲν τἆλλα δυνατὸν ἀσφάλειαν πορίσασθαι, χάριν δὲ θανάτου πάντες ἄνθρωποι πόλιν ἀτείχιστον οἰκοῦμεν.

32

Ο του σοφοῦ σεβασμός ἀγαθὸν μέγα τῷ σεβομένῳ ἐστί.

25

La povertà rapportata ai limiti che pone la natura è una grande ricchezza; la ricchezza che non si ponga un limite è grande povertà.

27

Chi ha portato a termine questo o quel compito giunge a coglierne il frutto a fatica; nella filosofia invece il piacere va di pari passo con la conoscenza: non infatti la soddisfazione dopo l'apprendimento, ma contemporaneamente apprendimento e soddisfazione.

31

C'è la possibilità di garantirsi la sicurezza rispetto a tutto il resto, ma in funzione della morte noi uomini abitiamo tutti una città senza mura.

32

Venerare il sapiente è un gran bene per chi lo venera.

33

Σαρκὸς φωνὴ τὸ μὴ πεινῆν, τὸ μὴ διψῆν, τὸ μὴ ῥιγουν ταῦτα γὰρ ἔχων τις καὶ ἐλπίζων ἕξειν κἂν ‹Διὶ› ὑπὲρ εὐδαιμονίας μαχέσαιτο.

34

Οὐχ οὕτως χρείαν ἔχομεν τῆς χρείας ‹τῆς› παρὰ τῶν φίλων ὡς τῆς πίστεως τῆς περὶ τῆς χρείας.

35

Οὐ δεῖ λυμαίνεσθαι τὰ παρόντα τῶν ἀπόντων ἐπιθυμίᾳ, ἀλλ' ἐπιλογίζεσθαι ὅτι καὶ ταῦτα τῶν εὐκταίων ἦν.

37

Ἀσθενὴς ἡ φύσις ἐστὶ πρὸς τὸ κακὸν οὐ πρὸς τὸ ἀγαθόν· ἡδοναῖς μὲν γὰρ σῴζεται, ἀλγηδόσι δὲ διαλύεται.

38

Μικρὸς παντάπασιν ᾧ πολλαὶ αἰτίαι εὔλογοι εἰς ἐξαγωγὴν βίου.

33

La carne grida di non aver fame, non aver sete, non aver freddo. Colui che soddisfa questi bisogni o spera di soddisfarli può in felicità competere anche con Zeus.

34

Non abbiamo tanto bisogno dell'aiuto degli amici quanto del poter fare affidamento sul loro aiuto.

35

Non bisogna sciupare quello che si ha con il desiderio delle cose che mancano, ma riflettere sul fatto che anche ciò che si ha era prima oggetto di desiderio.

37

La natura è debole verso il male, non verso il bene: si preserva infatti nei piaceri, viene meno nei dolori.

38

Davvero è un individuo da poco colui per il quale esistono molti ragionevoli motivi per togliersi la vita.

40

Ὁ λέγων πάντα κατ ἀνάγκην γίνεσθει οὐδὲν ἐγκαλεῖν ἔχει τῷ λέγοντι μὴ πάντα κατ' ἀνάγκην γίνεσθαι· αὐτὸ γὰρ τοῦτό φησι κατ ἀνάγκην γίνεσθαι.

43

Φιλαργυρεῖν ἄδικα μὲν ἀσεβεῖς, δικαία δὲ αἰσχρὸν· ἀπρεπὲς γὰρ ῥυπαρῶς φείδεσθαι καὶ μετὰ τοῦ δικαίου.

44

Ὁ σοφὸς εἰς τὰ ἀναγκαῖα συγκριθεὶς μᾶλλον ἐπίσταται μεταδιδόναι ἢ μεταλαμβάνειν· τηλικοῦτον αὐταρκείας εὐρὲ θησαυρόν.

45

Οὐ κόμπους οὐδὲ φωνῆς ἐργαστικούς οὐδὲ περιμάχητον παρὰ τοῖς πολλοῖς παιδείαν ἐνδυκνυμένους φιλοσοφία παρασκευάζει, ἀλλὰ σοβαροὺς καὶ αὐτάρκεις καὶ ἐπὶ τοῖς ἰδίοις ἀγαθοῖς, οὐκ ἐπὶ τοῖς τῶν πραγμάτων μέγα φρονοῦντες.

40

Chi afferma che tutto accade per necessità non ha argomenti da opporre a chi nega che tutto avviene per necessità: è infatti costretto ad ammettere che anche questo avviene per necessità.

43

Desiderare il denaro fuori dai limiti della legge è empio, entro i limiti squallido. È disdicevole infatti risparmiare micragnosamente anche se lo si fa rispettando la legge.

44

Il saggio messo a confronto con le necessità della vita sa piuttosto dare che ricevere, perché dispone di un simile tesoro nell'indipendenza dai bisogni.

45

Lo studio della natura non forma uomini arroganti, né dispensatori di chiacchiere, né esibizionisti rispetto alla cultura apprezzata dai più, ma uomini fieri, indipendenti e orgogliosi dei propri beni, non di quelli che provengono dagli affari.

46

Τὰς φαύλας συνηθείας ὥσπερ ἄνδρας πονηροὺς πολὺν χρόνον μέγα βλάψαντες τελείως ἐκδιώκομεν.

48

Πειρᾶσθαι τὴν ὑστέραν τῆς προτέρας κρείττω ποιεῖν, ἕως ἂν ἐν ὁδῷ ὦμεν ἐπειδὰν δ ἐπὶ πέρας ἔλθωμεν, ὁμαλῶς εὐφραίνεσθαι.

53

Οὐδενὶ φθονητέον ἀγαθοὶ γὰρ οὐκ ἄξιοι φθόνου, πονηροὶ δὲ ὅσῳ ἂν μᾶλλον εὐτυχῶσι, τοσούτω μᾶλλον αὐτοῖς λυμαίνονται.

54

Οὐ προσποιεῖσθαι δεῖ φιλοσοφεῖν, ἀλλ ὄντως φιλοσοφεῖν· οὐ γὰρ προσδεόμεθα τοῦ δοκεῖν ὑγιαίνειν, ἀλλὰ τοῦ κατ’ ἀλήθειαν ὑγιαίνειν.

46

Scacciamo completamente le cattive abitudini come uomini malvagi che ci hanno fatto del gran male per molto tempo.

48

Bisogna sforzarsi, finché siamo in cammino, che il nuovo tratto da percorrere sia migliore del precedente e quando si è giunti alla fine rallegrarsi, ma con moderazione.

53

Non bisogna invidiare nessuno: i buoni infatti non meritano l'invidia, i cattivi, quanto più hanno fortuna, tanto più fanno del male a se stessi.

54

Non si deve fingere di filosofare, ma filosofare sul serio; non ci serve infatti sembrar di star bene, ma star bene davvero.

55

Θεραπευτέον τὰς συμφορὰς τῇ τῶν ἀπολλυμένων χάριτι καὶ τῷ γιγνώσκειν ὅτι οὐκ ἔστιν ἄπρακτον ποιῆσαι τὸ γέγονος.

58

Ἐκλυτέον ἑαυτοὺς ἐκ τοῦ περὶ τὰ ἐγκύκλια καὶ πολιτικὰ δεσμωτηρίου.

59

Ἄπληστον οὐ γαστήρ, ὥσπερ οἱ πολλοὶ φάσιν, ἀλλ ἡ δόξα ψευδὴς ὑπὲρ τοῦ γαστρὸς ἀορίστου πληρώματος.

60

Πὰς ὥσπερ ἄρτι γεγονὼς ἐκ τοῦ ζῆν ἀπέρχεται.

63

Ἔστι καὶ ἐν λεπτότητι καθαριότης, ἧς ὁ ἀνεπιλόγιστος παραπλήσιόν τι πάσχει τῷ δι' ἀοριστίαν ἐκπίπτοντι.

55

Bisogna curare i mali che capitano con il conforto dei beni passati, consapevoli del fatto che non è possibile fare in modo che non sia ciò che è accaduto.

58

Occorre liberarsi dalla prigione degli affari e della politica.

59

Non è il ventre insaziabile, come molti dicono, ma la falsa opinione sull'infinita avidità del ventre.

60

Ognuno lascia la vita come se l'avesse incominciata allora.

63

C'è anche nella parsimonia una misura: se non se ne tiene conto avviene qualcosa di simile a quello che capita se non si hanno limiti nei desideri.

65

Μάταιόν ἔστι παρὰ θέων αἰτεῖσθαι ἅ τις ἑαυτῷ χορηγήσαι ἱκανός ἔστι.

66

Συμπαθῶμεν τοῖς φίλοις οὐ θρηνοῦντες ἀλλὰ φροντίζοντες.

67

Ἐλεύθερος βίος οὔ δυναταὶ κτήσαθαι χρήματα πολλὰ διὰ τὸ πρᾶγμα μὴ ῥᾴδιον εἶναι χωρὶς θητείας ὄχλων ἤ δυναστῶν, ἀλλὰ συνέχει δαψιλείᾳ πάντα κέκτηται· ἂν δέ που καὶ τύχη χρημάτων πολλῶν, καὶ ταὐτὰ ῥᾳδίως ἂν εἰς τήν του πλησίον εὔνοιαν διαμέτρησαι.

68

Οὐδὲν ἱκανὸν ῷ ὀλίγον ἱκανόν.

70

Μηδὲν σοὶ ἐν βιῷ πραχθείη ὅ φόβον παρέξει σοὶ εἰ γνωσθήσεται τῷ πλησίον.

65

È sciocco chiedere agli dèi le cose che uno è in grado di procurarsi da solo.

66

Partecipiamo alle sventure degli amici non piangendoci sopra, ma dandoci da fare.

67

Una vita libera non può disporre di molte ricchezze perché ciò non è facile senza essere schiavi delle masse o dei potenti, ma tale vita possiede già tutto in costante abbondanza; se poi capiti che si disponga di molte ricchezze, è facile ottenere benevolenza facendone parte al prossimo.

68

Niente basta a colui per il quale il bastevole è poco.

70

Non far nulla nella tua vita che ti possa fare paura se dovesse essere conosciuto dal prossimo.

71

Πρὸς πάσας τὰς ἐπιθυμίας προσακτέον τὸ ἐπερώτημα τοῦτο· τί μοι γενήσεται ἂν τελεσθῇ τὸ κᾆτα ἐπιθυμίαν ἐπιζητούμενον; καί τι ἐὰν μὴ τελεσθῇ;

73

Καὶ τὸ γένεσθαί τινάς ἀλγηδόνας περὶ σῶμα λυσιτελεῖ πρὸς φυλακὴν τῶν ὁμοειδῶν.

74

Ἐν φιλολόγῳ συζητήσει πλεῖον ἤνυσεν ὁ ἡττηθεὶς καθ' ὃ προσέμαθεν.

77

Τῆς αὐταρκείας καρπὸς μέγιστος ἐλευθερία.

79

Ὁ ἀτάραχος ἑαυτῷ καὶ ἑτέρῳ ἀόχλητος.

71

Di fronte a tutti i desideri deve esser fatta questa domanda: che cosa mi capiterà se si realizza quanto il desiderio brama e che cosa succederà se non si realizza?

73

Anche il fatto d'aver sopportato certi dolori fisici è utile per salvaguardarci da dolori consimili.

74

Nella disputa filosofica progredisce di più chi rimane sconfitto, dal momento che impara.

77

Il frutto più grande del bastare a se stessi è la libertà.

79

Chi non è turbato da passioni procura la pace a se stesso e agli altri.

PARTE SECONDA

Seneca

LA VITA FELICE

I

1. Viuere, Gallio frater, omnes beate uolunt, sed ad peruidendum quid sit quod beatam uitam efficiat caligant; adeoque non est facile consequi beatam uitam ut eo quisque ab ea longius recedat quo ad illam concitatius fertur, si uia lapsus est; quae ubi in contrarium ducit, ipsa uelocitas maioris interualli causa fit.

Proponendum est itaque primum quid sit quod adpetamus; tunc circumspiciendum qua contendere illo celerrime possimus, intellecturi in ipso itinere, si modo rectum erit, quantum cotidie profligetur quantoque propius ab eo simus ad quod nos cupiditas naturalis inpellit. 2. Quam diu quidem passim uagamur non ducem secuti sed fremitum et clamorem dissonum in diuersa uocantium, conteretur uita inter errores, breuis etiam si dies noctesque bonae menti laboremus. Decernatur itaque et quo tendamus et qua, non sine perito aliquo cui explorata sint ea in quae procedimus, quoniam quidem non eadem hic quae in ceteris peregrinationibus condicio est: in illis comprensus aliquis limes et interrogati incolae non patiuntur errare, at hic tritissima quaeque uia et celeberrima maxime decipit. 3. Nihil ergo magis praestandum est quam ne pecorum ritu sequamur antecedentium gregem, pergentes non quo eundum est sed quo itur. Atqui nulla res nos maioribus malis inplicat quam quod ad rumorem componimur, op-

I

1. Tutti vogliono vivere felici, fratello Gallione, ma quando si tratta di vedere con chiarezza che cosa sia che rende felice la vita, sono nell'oscurità. Non è facile conseguire una vita felice, perché, quanto più la perseguiamo, tanto più ce ne allontaniamo, se abbiamo sbagliato strada; quando la via scelta ci conduce in direzione contraria, proprio la velocità diventa motivo di distanza maggiore.

Bisogna pertanto domandarci in primo luogo che cosa sia ciò che desideriamo, poi considerare per quale via sia possibile volgerci il più velocemente possibile per poi capire, durante il cammino, purché sia quello giusto, quanto se ne compie ogni giorno e quanto ci siamo avvicinati a ciò verso cui il desiderio naturale ci spinge. 2. Ma fino a quando vaghiamo qua e là, non seguendo una guida, ma il brontolio e il clamore discorde di chi ci chiama verso opposte direzioni, la vita sarà consumata tra i vagabondaggi e sarà breve anche se giorno e notte ci affatichiamo per conseguire il retto pensiero. Si stabilisca dunque dove andare e attraverso quale percorso, non senza qualche esperto che già abbia esplorato la strada nella quale procediamo, dato che in questo caso le condizioni non sono le stesse dei normali viaggi: in quelli, delimitato un qualche confine e interrogati gli abitanti, non si può sbagliare; qui invece le vie più battute e maggiormente frequentate ingannano. 3. Quindi

tima rati ea quae magno adsensu recepta sunt, quodque exempla ‹nobis pro› bonis multa sunt nec ad rationem sed ad similitudinem uiuimus. 4. Inde ista tanta coaceruatio aliorum super alios ruentium. Quod in strage hominum magna euenit, cum ipse se populus premit – nemo ita cadit ut non et alium in se adtrahat, primique exitio sequentibus sunt – hoc in omni uita accidere uideas licet. Nemo sibi tantummodo errat, sed alieni erroris et causa et auctor est; nocet enim adplicari antecedentibus et, dum unusquisque mauult credere quam iudicare, numquam de uita iudicatur, semper creditur, uersatque nos et praecipitat traditus per manus error. Alienis perimus exemplis: sanabimur, [si] separemur modo a coetu. 5. Nunc uero stat contra rationem defensor mali sui populus. Itaque id euenit quod in comitiis, in quibus eos factos esse praetores idem qui fecere mirantur, cum se mobilis fauor circumegit: eadem probamus, eadem reprehendimus; hic exitus est omnis iudicii in quo secundum plures datur.

il nostro primo dovere è quello di non seguire, come fanno le pecore, il gregge di coloro che ci precedono, dirigendoci non dove bisogna andare, ma dove si va. Nulla davvero ci fa cadere in mali maggiori quanto il seguire le opinioni comuni, considerando ottimo ciò su cui tutti sono d'accordo per cui, dal momento che abbiamo molti modelli, non viviamo secondo ragione, ma a imitazione degli altri. 4. Di qui l'ammucchiata enorme degli uni che rovinano sugli altri. Come accade in una grande strage di tante persone, quando la folla si accalca (nessuno cade senza tirarsi anche un altro addosso, e i primi sono motivo di morte per quelli che seguono), è cosa che vedi accadere nella vita di ognuno. Nessuno sbaglia solo per sé, ma è causa e motivo degli errori degli altri. È dannoso attaccarci a chi ci precede e, dato che ciascuno preferisce affidarsi piuttosto che giudicare, non arriviamo mai a farci un giudizio sulla vita, sempre ci si affida; così l'errore, passando di mano in mano, ci travolge e ci fa precipitare. Andiamo in rovina per gli esempi altrui: ci potremo salvare se ci separeremo dalla folla. 5. La realtà è che la folla si erge contro la ragione, difendendo il male che le è proprio. Così capita quello che succede nei comizi, nei quali gli stessi elettori, quando il mutevole favore popolare si è rivolto da altra parte, si meravigliano di aver eletto quei pretori. Sono le stesse cose che approviamo e che rimproveriamo: questa è l'inevitabile conseguenza di ogni giudizio in cui ci si regola secondo la volontà della maggioranza.

II

1. Cum de beata uita agetur, non est quod mihi illud discessionum more respondeas: «haec pars maior esse uidetur». Ideo enim peior est. Non tam bene cum rebus humanis agitur ut meliora pluribus placeant: argumentum pessimi turba est. 2. Quaeramus ergo quid optimum factu sit, non quid usitatissimum, et quid nos in possessione felicitatis aeternae constituat, non quid uulgo, ueritatis pessimo interpreti, probatum sit. Vulgum autem tam chlamydatos quam coronatos uoco; non enim colorem uestium quibus praetexta sunt corpora aspicio. Oculis de homine non credo, habeo melius et certius lumen quo a falsis uera diiudicem: animi bonum animus inueniat. Hic, si umquam respirare illi et recedere in se uacauerit, o quam sibi ipse uerum tortus a se fatebitur ac dicet: 3. «quidquid feci adhuc infectum esse mallem, quidquid dixi cum recogito, mutis inuideo, quidquid optaui inimicorum execrationem puto, quidquid timui, di boni, quanto leuius fuit quam quod concupii! Cum multis inimicitias gessi et in gratiam ex odio, si modo ulla inter malos gratia est, redii: mihi ipsi nondum amicus sum. Omnem operam dedi ut me multitudini educerem et aliqua dote notabilem facerem: quid aliud quam telis me opposui et maleuolentiae quod morderet ostendi? 4. Vides istos qui eloquentiam laudant, qui opes sequuntur, qui gratiae adulantur, qui

II

1. Quando si discuterà della vita felice non rispondermi, come nella votazione per divisione in gruppi: «sembra che questa sia la parte che esprime la maggioranza». Questa è la parte peggiore. Le vicende umane vanno male quando sono i più a decidere sulle cose che contano di più: il parere della folla è il peggiore. 2. Cerchiamo di capire, dunque, che cosa sia il meglio da farsi, non ciò che si fa comunemente; ciò che ci ponga in possesso di una felicità eterna, non ciò che sia stato approvato dalla folla, pessima interprete della verità. Chiamo "folla" sia quelli rivestiti dalla porpora sia quelli che portano in capo la corona; non sto, infatti, a guardare il colore della veste di cui sono ricoperti i corpi. Non mi affido agli occhi quando giudico un uomo, ho una lampada migliore e più sicura con cui distinguere il vero dal falso: è l'anima che deve scoprire il bene dell'anima. Essa, se mai avrà il tempo di respirare e di ritirarsi in sé, confesserà a se stessa la verità e, dopo essersi tormentata, dirà: 3. «tutto ciò che ho fatto, preferirei non averlo ancora fatto; quando ripenso a tutto quello che ho detto, invidio i muti; tutto ciò che ho desiderato, lo giudico maledizione dei nemici; tutto quello che ho temuto, o buoni dèi, quanto fu meno importante di quello che ho desiderato! Ho odiato molti, ma poi mi sono riconciliato con loro, se pure c'è riconciliazione tra i malvagi: di me stesso però non sono

potentiam extollunt? Omnes aut sunt hostes aut, quod in aequo est, esse possunt; quam magnus mirantium tam magnus inuidentium populus est. Quin potius quaero aliquod usu bonum, quod sentiam, non quod ostendam? Iista quae spectantur, ad quae consistitur, quae alter alteri stupens monstrat, foris nitent, introrsus misera sunt».

ancora amico. Mi sono dato da fare in ogni modo per portarmi fuori dalla folla e rendermi degno di nota per qualche qualità: che cosa ho fatto, se non espormi alle frecce e indicare all'odio degli altri i punti nei quali potevano colpirmi? 4. Vedi costoro che lodano l'eloquenza, che inseguono la ricchezza, che adulano i favori e celebrano il potere? Tutti o sono nemici, oppure (ed è la stessa cosa) possono esserlo: quanto è grande la folla di coloro che ammirano, altrettanto grande è quella di coloro che invidiano. Perché piuttosto non cerco qualche bene che si riveli tale all'atto pratico, da sentire intimamente e non da farne mostra? Queste cose che vengono ammirate, davanti alle quali ci si ferma, che uno mostra all'altro con stupore, all'esterno risplendono, ma all'interno non hanno alcun valore».

III

1. Quaeramus aliquod non in speciem bonum, sed solidum et aequale et a secretiore parte formosius; hoc eruamus. Nec longe positum est: inuenietur, scire tantum opus est quo manum porrigas; nunc uelut in tenebris uicina transimus, offensantes ea ipsa quae desideramus.

2. Sed ne te per circumitus traham, aliorum quidem opiniones praeteribo nam et enumerare illas longum est et coarguere: nostram accipe. Nostram autem cum dico, non alligo me ad unum aliquem ex Stoicis proceribus: est et mihi censendi ius. Itaque aliquem sequar, aliquem iubebo sententiam diuidere, fortasse et post omnes citatus nihil inprobabo ex iis quae priores decreuerint et dicam «hoc amplius censeo». 3. Interim, quod inter omnis Stoicos conuenit, rerum naturae adsentior; ab illa non deerrare et ad illius legem exemplumque formari sapientia est.

Beata est ergo uita conueniens naturae suae, quae non aliter contingere potest quam si primum sana mens est et in perpetua possessione sanitatis suae, deinde fortis ac uehemens, tunc pulcherrime patiens, apta temporibus, corporis sui pertinentiumque ad id curiosa non anxie, tum aliarum rerum quae uitam instruunt diligens sine admiratione cuiusquam, usura fortunae muneribus, non seruitura. 4. Intellegis, etiam si non adiciam, sequi perpetuam tranquillitatem, libertatem, depulsis iis quae aut irritant

III

1. Cerchiamo qualche bene non apparente, ma duraturo, costante e davvero bello in ciò che si tiene nascosto: tiriamolo fuori. Non è lontano: per trovarlo c'è solo bisogno di sapere dove mettere la mano. Noi, invece, come in mezzo alle tenebre, passiamo oltre a quello che ci sta vicino, inciampando proprio in quello di cui sentiamo bisogno.

2. Ma per non trascinarti in inutili divagazioni, trascurerò le opinioni altrui (sarebbe troppo lungo sia elencarle sia confutarle): ascolta la nostra. E quando dico "nostra", non mi do per dipendente da qualcuno degli Stoici più autorevoli: ho diritto anch'io di esprimere la mia opinione. Pertanto seguirò qualcuno e qualche altro lo inviterò a delineare il suo parere; e forse anche, quando sarò invitato a dire che cosa penso io, non contesterò niente delle cose dette da quelli che mi hanno preceduto, e dirò: «in più io penso questo». 3. Per incominciare, cosa su cui tutti gli Stoici sono d'accordo, do il mio assenso alla natura: la saggezza consiste proprio nel non allontanarsi da quella e nel conformarsi alla sua legge e al suo esempio.

Felice è dunque una vita in accordo con la propria natura, il che è possibile, innanzi tutto, solo se l'animo è sano e altrettanto la volontà è sana e nel costante possesso della sua buona salute; in secondo luogo se è forte e vigoroso, oltremodo paziente, in grado di adattarsi alle circostanze,

nos aut territant; nam uoluptatibus et * * * pro illis quae parua ac fragilia sunt et †ipsis flagitiis noxia† ingens gaudium subit, inconcussum et aequale, tum pax et concordia animi et magnitudo cum mansuetudine; omnis enim ex infirmitate feritas est.

sollecito, ma senza ansia del suo corpo e di ciò che lo riguarda; in terzo luogo se è attento a tutte le cose che allietano la vita, pur senza subire il fascino di alcuna, proponendosi di servirsi dei doni della sorte, non di servirli. 4. Tu capisci, anche se non lo aggiungo espressamente, che se riusciamo a rimuovere ciò che ci tormenta o ci atterrisce raggiungeremo una felicità e una libertà eterne; infatti al posto dei piaceri e delle piccole e fragili comodità, che nuocciono per i mali che producono, subentrano un'immensa gioia, duratura e inalterabile, poi la pace, l'armonia dell'anima e la grandezza unita alla dolcezza: ogni ferocia è figlia della debolezza.

IV

1. Potest aliter quoque definiri bonum nostrum, id est eadem sententia non isdem comprendi uerbis. Quemadmodum idem exercitus modo latius panditur modo in angustum coartatur et aut in cornua sinuata media parte curuatur aut recta fronte explicatur, uis illi, utcumque ordinatus est, eadem est et uoluntas pro eisdem partibus standi, ita finitio summi boni alias diffundi potest et exporrigi, alias colligi et in se cogi. 2. Idem itaque erit, si dixero «summum bonum est animus fortuita despiciens, uirtute laetus» aut «inuicta uis animi, perita rerum, placida in actu cum humanitate multa et conuersantium cura». Licet et ita finire, ut beatum dicamus hominem eum cui nullum bonum malumque sit nisi bonus malusque animus, honesti cultorem, uirtute contentum, quem nec extollant fortuita nec frangant, qui nullum maius bonum eo quod sibi ipse dare potest nouerit, cui uera uoluptas erit uoluptatum contemptio. 3. Licet, si euagari uelis, idem in aliam atque aliam faciem salua et integra potestate transferre; quid enim prohibet nos beatam uitam dicere liberum animum et erectum et interritum ac stabilem, extra metum, extra cupiditatem positum, cui unum bonum sit honestas, unum malum turpitudo, cetera uilis turba rerum nec detrahens quicquam beatae uitae nec adiciens, sine auctu ac detrimento summi boni ueniens ac recedens? 4. Hunc ita

IV

1. Si può definire diversamente il nostro concetto di bene, nel senso che la stessa idea può essere espressa con altre parole. Come un esercito ora si spiega in un largo raggio, ora si raduna in poco spazio e ora si curva in file attorno a un centro, oppure si dispone in linea retta, ma la sua forza, in qualunque modo sia stato schierato, resta uguale, come resta uguale la volontà di resistere combattendo per la stessa causa, così la descrizione del sommo bene ora può espandersi e allargarsi, ora assumere una forma contratta e succinta. 2. È lo stesso se dico: «Il sommo bene è un animo che, lieto della virtù, disprezza le cose che provengono dal caso» oppure «È una forza d'animo indomita, esperta delle cose, serena nell'azione, unita a grande umanità e sollecitudine per il prossimo».

Si può anche definirlo dicendo che è felice colui per il quale non esiste bene o male ma solo un animo buono o malvagio, colui che coltiva l'onestà, si contenta della sola virtù, che non si lascia né esaltare né abbattere dalle vicende della sorte, che non conosce bene maggiore di quello che egli può dare a se stesso e per il quale il vero piacere consiste nel non curarsi dei piaceri. 3. È possibile, se vuoi divagare, trasferire il medesimo concetto in aspetti sempre nuovi, purché resti salvo e integro il vero significato. Che cosa ci impedisce infatti di definire la vita "felice" quando un ani-

fundatum necesse est, uelit nolit, sequatur hilaritas continua et laetitia alta atque ex alto ueniens, ut qui suis gaudeat nec maiora domesticis cupiat. Quidni ista bene penset cum minutis et friuolis et non perseuerantibus corpusculi motibus? Quo die infra uoluptatem fuerit, et infra dolorem erit; uides autem quam malam et noxiosam seruitutem seruiturus sit quem uoluptates doloresque, incertissima dominia inpotentissimaque, alternis possidebunt: ergo exeundum ad libertatem est. 5. Hanc non alia res tribuit quam fortunae neglegentia: tum illud orietur inaestimabile bonum, quies mentis in tuto conlocatae et sublimitas expulsisque erroribus ex cognitione ueri gaudium grande et inmotum comitasque et diffusio animi, quibus delectabitur non ut bonis sed ut ex bono suo ortis.

mo è libero, fiero, impavido e sicuro di sé, fuori dal timore, fuori dal desiderio, che ha come unico bene l'onestà, unico male la turpitudine, e tutta l'altra spregevole massa di cose nulla toglie e nulla aggiunge alla vita felice, che viene e va senza portare accrescimenti o perdite al sommo bene? 4. A questo animo, che ha basi così solide, devono tener dietro (lo si voglia o non lo si voglia) una continua gioia e una letizia profonda, intimamente sentita perché l'animo gode di ciò che ha e non nutre desideri più grandi di quelli che è in grado di soddisfare. Come tutto questo non dovrebbe compensare i moti inutili, futili e incostanti del nostro piccolo corpo? Il giorno in cui si sarà dato al piacere, si sarà anche esposto al dolore; tu vedi quale pessima e dannosa servitù deve sopportare chi è posseduto di volta in volta da piaceri e da dolori, che sono i padroni più capricciosi e prepotenti: bisogna pertanto trovare una via d'uscita verso la libertà. 5. E questa ce la può dare solo l'indifferenza nei riguardi della sorte: allora si otterrà quel bene inestimabile, la tranquillità della mente serena, la gioia smisurata e imperturbabile che nasce quando, dopo aver conosciuto la verità, è bandito ogni terrore, quella gioia grande e immutabile che si esprime nell'amabilità e nell'effusione dell'animo. Di tutti questi beni l'animo prenderà diletto, non in quanto beni, ma in quanto effetto del suo proprio bene.

V

1. Quoniam liberaliter agere coepi, potest beatus dici qui nec cupit nec timet beneficio rationis, quoniam et saxa timore et tristitia carent nec minus pecudes; non ideo tamen quisquam felicia dixerit quibus non est felicitatis intellectus. 2. Eodem loco pone homines quos in numerum pecorum et animalium redegit hebes natura et ignoratio sui. Nihil interest inter hos et illa, quoniam illis nulla ratio est, his praua et malo suo atque in peruersum sollers; beatus enim dici nemo potest extra ueritatem proiectus.

3. Beata ergo uita est in recto certoque iudicio stabilita et inmutabilis. Tunc enim pura mens est et soluta omnibus malis, quae non tantum lacerationes sed etiam uellicationes effugerit, statura semper ubi constitit ac sedem suam etiam irata et infestante fortuna uindicatura. 4. Nam quod ad uoluptatem pertinet, licet circumfundatur undique et per omnis uias influat animumque blandimentis suis leniat aliaque ex aliis admoueat quibus totos partesque nostri sollicitet, quis mortalium, cui ullum superest hominis uestigium, per diem noctemque titillari uelit et deserto animo corpori operam dare?

V

1. Dato che ho incominciato a trattare l'argomento in forma ampia, si può definire "felice" chi non desidera né teme per beneficio della ragione. Anche i sassi mancano di timore e di afflizione, e così pure gli animali: non per questo tuttavia qualcuno dirà che sono felici coloro che non posseggono la cognizione della felicità. 2. Poni nello stesso piano coloro che l'indole ottusa e l'ignoranza di sé hanno ridotto al livello di bestie e di esseri inanimati: non c'è differenza fra queste persone e quelli, perché quegli esseri non hanno ragione, queste ce l'hanno depravata e volta alla propria rovina; nessuno può dirsi felice se sta fuori dalla verità.

3. Dunque è felice la vita che ha per fondamento immutabile un giudizio retto e fermo. Allora, infatti, lo spirito è puro e libero da ogni male non solo quando avrà evitato le lacerazioni, ma anche le graffiature, deciso a restare dove si trova e a difendere la sua posizione, nonostante la rabbia e gli assalti della sorte. 4. Infatti, per quanto riguarda il piacere, anche se si riversa intorno a noi e scorre da tutte le parti, blandisce l'animo con le sue seduzioni e non smette di sedurre tutto o in parte il nostro essere, quale mortale, che conservi ancora un barlume di umanità, vorrebbe lasciarsi trastullare senza tregua giorno e notte e trascurare l'anima per dedicarsi al corpo?

VI

1. «Sed animus quoque» inquit «uoluptates habebit suas.» Habeat sane sedeatque luxuriae et uoluptatium arbiter; inpleat se eis omnibus quae oblectare sensus solent, deinde praeterita respiciat et exoletarum uoluptatium memor exultet prioribus futurisque iam immineat ac spes suas ordinet et, dum corpus in praesenti sagina iacet, cogitationes ad futura praemittat: hoc mihi uidebitur miserior, quoniam mala pro bonis legere dementia est. Nec sine sanitate quisquam beatus est nec sanus cui futura pro optimis adpetuntur. 2. Beatus ergo est iudicii rectus; beatus est praesentibus qualiacumque sunt contentus amicusque rebus suis; beatus est is cui omnem habitum rerum suarum ratio commendat.

VI

1. «Ma anche l'animo» mi si dirà «avrà piaceri propri». Ne abbia pure, e segga come arbitro del lusso e dei piaceri; si sazi di tutti quegli elementi che sono soliti allietare i sensi, poi si rivolga indietro e, memore dei piaceri goduti, esulti per quelli passati, si organizzi per quelli futuri, disponga ben in ordine le sue aspettative e, mentre il corpo giace nel pranzo di oggi, indirizzi i pensieri in avanti verso ciò che ci sarà: per questo motivo a me sembrerà più infelice, dato che scegliere il male al posto del bene è pazzia. E non è felice chi non ha la ragione sana, e non è sano chi sceglie come bene supremo ciò che gli nuocerà. 2. Felice è pertanto l'uomo dal giudizio retto, felice chi è contento della sorte che ha, qualunque sia, ed è amico di quello che ha; felice colui al quale la ragione suggerisce in tutto e per tutto come deve regolare la sua vita.

VII

1. Vident et in iliis qui summum bonum dixerunt quam turpi illud loco posuerint. Itaque negant posse uoluptatem a uirtute diduci et aiunt nec honeste quemquam uiuere ut non iucunde uiuat, nec iucunde ut non honeste quoque. Non uideo quomodo ista tam diuersa in eandem copulam coiciantur. Quid est, oro uos, cur separari uoluptas a uirtute non possit? Uidelicet, quia omne bonis ex uirtute principium est, ex huius radicibus etiam ea quae uos et amatis et expetitis oriuntur? Sed si ista indiscreta essent, non uideremus quaedam iucunda sed inhonesta, quaedam uero honestissima sed aspera, per dolores exigenda. 2. Adice nunc quod uoluptas etiam ad uitam turpissimam uenit, at uirtus malam uitam non admittit, et infelices quidam non sine uoluptate, immo ob ipsam uoluptatem sunt; quod non eueniret si uirtuti se uoluptas inmiscuisset, qua uirtus saepe caret, numquam indiget. 3. Quid dissimilia, immo diuersa componitis? Altum quiddam est uirtus, excelsum et regale, inuictum infatigabile: uoluptas humile seruile, inbecillum caducum, cuius statio ac domicilium fornices et popinae sunt. Virtutem in templo conuenies, in foro in curia, pro muris stantem, puluerulentam coloratam, callosas habentem manus: uoluptatem latitantem saepius ac tenebras captantem circa balinea ac sudatoria ac loca aedilem metuentia, mollem eneruem, mero atque unguento

VII

1. Anche quelli che ripongono il sommo bene nei piaceri vedono in quale turpe luogo lo hanno cacciato. Pertanto dicono che il piacere non può essere separato dalla virtù, e affermano che nessuno vive onestamente senza vivere con gioia, né gioiosamente senza vivere anche con onestà. Non vedo come fra contenuti così opposti possa essere istituita una relazione tanto stretta. Per quale motivo, vi chiedo, il piacere non potrebbe essere separato dalla virtù? Naturalmente perché ogni bene trova il suo principio nella virtù, dalle cui radici trae origine anche ciò che voi amate e desiderate? Però, se fossero indistinti, non vedremmo che alcune cose sono piacevoli, ma disoneste, altre invece assolutamente oneste, ma difficili e conseguibili attraverso il dolore. 2. Aggiungi ora che il piacere tocca anche a una vita turpissima, la virtù invece non è compatibile con una vita disonesta, e alcuni sono infelici non senza il piacere, anzi, lo sono proprio a causa del piacere: il che non accadrebbe se il piacere fosse congiunto alla virtù, la quale spesso ne è priva, ma non ne ha mai bisogno. 3. Perché mettete insieme cose diverse, anzi opposte? La virtù è qualcosa di alto, di sublime e regale, di invincibile, di instancabile; il piacere qualcosa di basso, di servile, di debole, di caduco, il cui luogo di sosta e il cui domicilio sono i postriboli e le taverne. Incontrerai la virtù nel tempio, nel foro, nella

madentem, pallidam aut fucatam et medicamentis pollinctam. 4. Summum bonum inmortale est, nescit exire, nec satietatem habet nec paenitentiam; numquam enim recta mens uertitur nec sibi odio est nec quicquam †mutauit† optima. At uoluptas tunc cum maxime delectat extinguitur; non multum loci habet, itaque cito inplet et taedio est et post primum impetum marcet. Nec id umquam certum est cuius in motu natura est: ita ne potest quidem ulla eius esse substantia quod uenit transitque celerrime in ipso usu sui periturum; eo enim pertendit ubi desinat, et dum incipit spectat ad finem.

curia, in piedi davanti alle mura, coperta di polvere, cotta dal sole, con le mani callose; il piacere lo troverai spesso nascosto e alla ricerca delle tenebre, intorno ai bagni, ai mezzi di riscaldamento e ai luoghi che hanno paura delle guardie, fiacco, snervato, bagnato di vino e di profumi, pallido, imbellettato e impiastricciato di pomate. 4. Il sommo bene è immortale, non conosce fine, ignora la sazietà e il rimorso: una mente retta non si volge indietro, non odia mai se stessa e non cambia nulla di ciò che è già ottimo; il piacere invece cessa proprio quando diletta di più, e non ha molto spazio: perciò sazia subito, viene a noia e si fiacca dopo il primo slancio. Non può mai esserci nulla di stabile in ciò che, per sua natura, è in continuo movimento, così non si può trovare alcuna consistenza in tutto ciò che viene e va rapidamente e si consuma nell'uso stesso; perché, ciò che è così strutturato, raggiunge infatti la meta quando viene meno e, nell'attimo stesso in cui incomincia, ha già incominciato a esaurirsi.

VIII

1. Quid quod tam bonis quam malis uoluptas inest nec minus turpes dedecus suum quam honestos egregia delectant? Ideoque praeceperunt ueteres optimam sequi uitam, non iucundissimam, ut rectae ac bonae uoluntatis non dux sed comes sit uoluptas. Natura enim duce utendum est; hanc ratio obseruat, hanc consulit. 2. Idem est ergo beate uiuere et secundum naturam. Hoc quid sit iam aperiam: si corporis dotes et apta naturae conseruarimus diligenter et inpauide tamquam in diem data et fugacia, si non subierimus eorum seruitutem nec nos aliena possederint, si corpori grata et aduenticia eo nobis loco fuerint quo sunt in castris auxilia et armaturae leues – seruiant ista, non imperent – ita demum utilia sunt menti. 3. Incorruptus uir sit externis et insuperabilis miratorque tantum sui,

fidens animo atque in utrumque paratus,

artifex uitae; fiducia eius non sine scientia sit, scientia non sine constantia; maneant illi semel placita nec ulla in decretis eius litura sit. Intellegitur, etiam si non adiecero, compositum ordinatumque fore talem uirum et in iis quae aget cum comitate magnificum. †erat uera. 4. Ratio uera† sensibus inritata et capiens inde principia – nec enim habet aliud unde conetur aut unde ad uerum impetum capiat – in se reuertatur. Nam mundus quoque cuncta complectens

VIII

1. Che dire poi del fatto che il piacere è presente tanto nelle persone buone quanto in quelle malvagie, e che la vergogna allieta le persone turpi non meno di quanto le nobili azioni allietino le persone oneste? Perciò gli antichi prescrissero di seguire la vita migliore, non la più piacevole, cosicché il piacere non sia guida, ma compagno di una giusta e buona volontà. Bisogna, infatti, servirsi della natura come guida: è lei che la ragione consulta e segue. 2. La stessa cosa è pertanto vivere felicemente e secondo natura. Che cosa questo sia lo chiarirò subito: se conserveremo con cura e senza timore le nostre doti fisiche e le inclinazioni naturali, tenendo però presente che sono effimere e fugaci; se non ci sottometteremo alla loro schiavitù e se le cose estranee non ci possederanno; se quanto è gradito al corpo e quanto viene dall'esterno per noi saranno nella stessa posizione in cui si trovano nell'esercito le truppe ausiliarie e gli armati alla leggera (queste parti servano, non comandino), solo allora saranno utili alla nostra mente. 3. Il vero uomo deve essere incorruttibile da ciò che è esterno, insuperabile e ammiratore solo di se stesso,

> fiducioso solo dell'animo e pronto alla buona e alla
> [cattiva sorte,[1]

[1] *fiducioso... cattiva sorte*: Virgilio, *Eneide,* II, v. 61.

rectorque uniuersi deus in exteriora quidem tendit, sed tamen introsum undique in se redit. Idem nostra mens faciat: cum secuta sensus suos per illos se ad externa porrexerit, et illorum et sui potens sit. 5. Hoc modo una efficietur uis ac potestas concors sibi et ratio illa certa nascetur, non dissidens nec haesitans in opinionibus comprensionibusque nec in persuasione, quae cum se disposuit et partibus suis consensit et, ut ita dicam, concinuit, summum bonum tetigit. 6. Nihil enim praui, nihil lubrici superest, nihil in quo arietet aut labet; omnia faciet ex imperio suo nihilque inopinatum accidet, sed quidquid agetur in bonum exibit facile et parate et sine tergiuersatione agentis; nam pigritia et haesitatio pugnam et inconstantiam ostendit. Quare audaciter licet profitearis summum bonum esse animi concordiam; uirtutes enim ibi esse debebunt ubi consensus atque unitas erit: dissident uitia.

artefice della sua vita; la sua fiducia non deve essere separata dalla conoscenza, e la conoscenza dalla costanza: le sue decisioni rimangono ferme, una volta prese, e i suoi princìpi incrollabili. Si comprende, anche se non lo aggiungo, che un tale uomo sarà equilibrato e ordinato in tutte le sue azioni, grandioso ma con benevolenza. 4. La ragione, sollecitata dai sensi, indaghi e prendendo da essi il punto di partenza (non ha del resto altro modo per intraprendere il suo agire e slanciarsi verso la verità), torni in se stessa. Anche l'universo, che tutto abbraccia, e dio, che guida il cosmo, sono sì volti verso l'esterno, ma poi da ogni parte rientrano nella loro essenza. Così deve fare anche il nostro spirito: quando, seguendo i sensi, e per mezzo loro, si sarà volto verso i beni esterni, si mantenga padrone di questi e di se stesso. 5. In tal modo si realizzerà l'unità della sua essenza e la concordia delle sue facoltà e nascerà quella ragione sicura, che ignora dubbi e le esitazioni nelle opinioni, nelle valutazioni e nelle convinzioni, quella ragione che, quando si sarà organizzata e sarà concorde in tutte le sue parti e, per così dire, armonizzata, raggiungerà il sommo bene. 6. Perché non rimarrà più nulla di turpe e di pericoloso, nulla in cui possa urtare o cadere: la ragione agirà sempre di propria iniziativa e non sarà mai colta di sorpresa; tutte le sue azioni avranno un buon esito facilmente, agevolmente e senza ripensamenti: in effetti la lentezza e l'esitazione sono segni di dissidio e di incertezza. Perciò puoi in piena sicurezza dichiarare che il sommo bene è la concordia dell'animo; le virtù si troveranno là dove ci sono accordo e unità: i vizi sono in disaccordo.

IX

1. «Sed tu quoque» inquit «uirtutem non ob aliud colis quam quia aliquam ex illa speras uoluptatem.» Primum non, si uoluptatem praestatura uirtus est, ideo propter hanc petitur; non enim hanc praestat, sed et hanc, nec huic laborat, sed labor eius, quamuis aliud petat, hoc quoque adsequetur. 2. Sicut in aruo quod segeti proscissum est aliqui flores internascuntur, non tamen huic herbulae, quamuis delectet oculos, tantum operis insumptum est – aliud fuit serenti propositum, hoc superuenit – sic uoluptas non est merces nec causa uirtutis sed accessio, nec quia delectat placet, sed, si placet, et delectat. 3. Summum bonum in ipso iudicio est et habitu optimae mentis, quae cum suum inpleuit et finibus se suis cinxit, consummatum est summum bonum nec quicquam amplius desiderat; nihil enim extra totum est, non magis quam ultra finem. 4. Itaque erras cum interrogas quid sit illud propter quod uirtutem petam; quaeris enim aliquid supra summum. Interrogas quid petam ex uirtute? Ipsam. Nihil enim habet melius [enim], ipsa pretium sui. An hoc parum magnum est? Cum tibi dicam «summum bonum est infragilis animi rigor et prouidentia et sublimitas et sanitas et libertas et concordia et decor», aliquid etiamnunc exigis maius ad quod ista referantur? Quid mihi uoluptatem nominas? Hominis bonum quaero, non uentris, qui pecudibus ac beluis laxior est.

IX

1. «Ma anche tu» mi si dirà[2] «coltivi la virtù per nessun altro motivo se non perché spero in qualche piacere da quella». In primo luogo, anche se la virtù procurerà piacere, non è per questo che la si cerca; infatti essa non procura piacere ma anche piacere e non si affatica per questo ma la sua fatica, per quanto miri a altro, ha come conseguenza anche questo. 2. Come in mezzo a un campo arato per seminare spuntano anche dei fiori, tuttavia non è stata fatta tanta fatica per ottenere questa erbetta (per quanto allieti gli occhi), perché altro è stato il proposito di chi ha seminato, e i fiori sono un effetto aggiuntosi, così anche il piacere non è la ricompensa né la causa della virtù, ma un'aggiunta, e non piace perché diletta, ma, se piace, allora diletta. 3. Il sommo bene consiste proprio nel giudizio e nella disposizione dell'ottima volontà: quando questa ha compiuto ciò che le compete e ha fissato i suoi limiti, il sommo bene è compiuto, né sente il bisogno di qualcosa di più: nulla c'è infatti al di là del tutto, non più di quanto ci sia al di là della fine. 4. Sbagli, dunque, quando mi chiedi quale sia la ragione per cui cerco la virtù: perché mi chiedi qualcosa al di sopra di ciò che è al vertice. Tu domandi che cosa io cerchi di ottenere dalla virtù? La virtù stessa. Infatti non ha nulla

2 *«Ma anche... mi si dirà*: l'interlocutore è Epicuro o un suo seguace.

di più prezioso del suo stesso valore. Forse questa è troppo poco grande? Quando ti dirò: «Il sommo bene è la fermezza di un animo che non si spezza, è insieme accortezza, grandezza, integrità morale, libertà, armonia, bellezza», tu esigi ancora qualcosa di più grande che costituisca la base di tutti questi beni? Perché mi parli del piacere? Io cerco il bene dell'uomo, non quello del ventre, che in molte specie animali è più capace del nostro.

X

1. «Dissimulas» inquit «quid a me dicatur; ego enim nego quemquam posse iucunde uiuere nisi simul et honeste uiuit, quod non potest mutis contingere animalibus nec bonum suum cibo metientibus. Clare, inquam, ac palam testor hanc uitam quam ego iucundam uoco non nisi adiecta uirtute contingere.» 2. Atqui quis ignorat plenissimos esse uoluptatibus uestris stultissimos quosque et nequitiam abundare iucundis animumque ipsum genera uoluptatis praua et multa suggerere? – In primis insolentiam et nimiam aestimationem sui tumoremque elatum super ceteros et amorem rerum suarum caecum et inprouidum et ex minimis ac puerilibus causis exultationem, iam dicacitatem ac superbiam contumeliis gaudentem, desidiam dissolutionemque segnis animi, deliciis fluentis, indormientis sibi. 3. Haec omnia uirtus discutit et aurem peruellit et uoluptates aestimat antequam admittat nec quas probauit magni pendit †utique enim† admittit nec usu earum sed temperantia laeta est. Temperantia autem, cum uoluptates minuat, summi boni iniuria est. Tu uoluptatem complecteris, ego compesco; tu uoluptate frueris, ego utor; tu illam summum bonum putas, ego nec bonum; tu omnia uoluptatis causa facis, ego nihil.

X

1. «Tu fingi di non capire» mi si dirà «che cosa io dica. Io sostengo che nessuno è in grado di vivere piacevolmente se contemporaneamente non vive anche in modo onesto, il che non può accadere agli animali né a quanti misurano il loro bene in base al cibo. E affermo con assoluta chiarezza che non si può ottenere quella vita che definisco piacevole che con la virtù». 2. Ma chi ignora che sono gli uomini più stolti a sprofondare nei vostri piaceri, che la malvagità può essere fonte di godimento, e l'animo stesso ispira molte specie di piaceri perversi? Fra i primi l'arroganza, la presunzione, la superbia, che fa sentire superiori agli altri, l'amore cieco ed eccessivo per i propri averi, i godimenti senza ritegno e l'esultanza esagerata per le cose puerili e inutili; poi la maldicenza e la superbia che gode di offendere, l'inerzia e il disfacimento di un animo indolente, fiaccato dai godimenti, che dorme su se stesso. 3. La virtù disperde tutto questo, ci tira le orecchie e valuta i piaceri prima di accoglierli; non tiene gran conto di quelli che accetta: comunque ne fa un uso cauto e si compiace di moderarli, non di goderli. E la temperanza, dal momento che riduce i piaceri, è un'offesa fatta ai diritti del sommo bene. Tu abbracci il piacere, io gli metto un freno; tu godi del piacere, io me ne servo; tu lo consideri sommo bene, io neppure un bene; tu fai tutto per il piacere, io nulla.

XI

1. Cum dico me nihil uoluptatis causa facere, de illo loquor sapiente, cui soli concedimus uoluptatem. Non uoco autem sapientem supra quem quicquam est, nedum uoluptas. Atqui ab hac occupatus quomodo resistet labori et periculo, egestati et tot humanam uitam circumstrepentibus minis? Quomodo conspectum mortis, quomodo dolores feret, quomodo mundi fragores et tantum acerrimorum hostium, a tam molli aduersario uictus? «Quidquid uoluptas suaserit faciet.» Age, non uides quam multa suasura sit? 2. «Nihil» inquit «poterit turpiter suadere, quia adiuncta uirtuti est.» Non uides iterum quale sit summum bonum cui custode opus est ut bonum sit? Virtus autem quomodo uoluptatem reget, quam sequitur, cum sequi parentis sit, regere imperantis? A tergo ponis quod imperat? Egregium autem habet uirtus apud uos officium, uoluptates praegustare! 3. Sed uidebimus an apud quos tam contumeliose tractata uirtus est adhuc uirtus sit, quae habere nomen suum non potest, si loco cessit; interim, de quo agitur, multos ostendam uoluptatibus obsessos, in quos fortuna omnia munera sua effudit, quos fatearis necesse est malos. 4. Aspice Nomentanum et Apicium, terrarum ac maris, ut isti uocant, bona conquirentis et super mensam recognoscentis omnium gentium animalia; uide hos eosdem e suggestu rosae despectantis popinam suam,

XI

1. Quando dico che io non faccio nulla per il piacere parlo di quel saggio solo al quale concedi il piacere. Ma non posso chiamare sapiente l'uomo che ha qualcosa al di sopra di sé, in particolare il piacere. E invero, chi ne è già dominato, come si contrapporrà alla fatica e al pericolo, alla miseria e a tante minacce che strepitano intorno alla vita umana? Come sopporterà la vista della morte, i dolori, come i fragori del mondo, e tanti nemici agguerritissimi, se è stato vinto da un avversario così debole? «Farà tutto quanto gli suggerisce il piacere.» Orbene, non vedi quante cose consiglierà? 2. «Non potrà consigliarti niente di turpe» mi si dirà «perché è inseparabile dalla virtù». Non vedi, di nuovo, che sommo bene sia quello che ha bisogno di un custode per essere un bene? Come farà la virtù da guida al piacere, cui tiene dietro, quando il tener dietro è proprio di colui che ubbidisce, il guidare di colui che comanda? Metti in seconda fila chi comanda? La virtù ha per voi davvero un bel compito: quello di pregustare i piaceri! 3. Ma vedremo poi se una virtù così bistrattata sia ancora da considerarsi virtù, dato che non può essere più chiamata virtù se ha lasciato il suo posto; frattanto (ed è il tema di cui trattiamo) ti farò il nome di molte persone dedite ai piaceri, nelle quali la fortuna ha effuso tutti i suoi doni, che devi riconoscere come disgraziati. 4. Guarda Nomentano e Apicio, che van-

aures uocum sono, spectaculis oculos, saporibus palatum suum delectantis; mollibus lenibusque fomentis totum lacessitur eorum corpus et, ne nares interim cessent, odoribus uariis inficitur locus ipse in quo luxuriae parentatur. Hos esse in uoluptatibus dices, nec tamen illis bene erit, quia non bono gaudent.

no alla ricerca dei beni (come loro li chiamano) della terra e del mare, e che sulla mensa passano in rassegna gli animali di tutti i popoli; guardali mentre contemplano la loro tavola dal letto di rose, rallegrano le orecchie con canti, gli occhi con spettacoli, il palato con sapori raffinati; il loro corpo è riscaldato dal calore di stoffe soffici e delicate e, per non lasciare senza godimento le loro narici, viene impregnata di profumi rari il luogo stesso dove si sacrifica alla sensualità. Tu dirai che costoro vivono in mezzo ai piaceri, eppure non sono felici, perché non godono del vero bene.

XII

1. «Male» inquit «illis erit, quia multa interuenient quae perturbent animum et opiniones inter se contrariae mentem inquietabunt.» Quod ita esse concedo; sed nihilominus illi ipsi stulti et inaequales et sub ictu paenitentiae positi magnas percipient uoluptates, ut fatendum sit tam longe tum illos ab omni molestia abesse quam a bona mente et, quod plerisque contingit, hilarem insaniam insanire ac per risum furere. 2. At contra sapientium remissae uoluptates et modestae ac paene languidae sunt compressaeque et uix notabiles, ut quae neque accersitae ueniant nec, quamuis per se accesserint, in honore sint neque ullo gaudio percipientium exceptae; miscent enim illas et interponunt uitae ut ludum iocumque inter seria.

3. Desinant ergo inconuenientia iungere et uirtuti uoluptatem inplicare, per quod uitium pessimis quibusque adulantur. Ille effusus in uoluptates, ructabundus semper atque ebrius, quia scit se cum uoluptate uiuere, credit et cum uirtute (audit enim uoluptatem separari a uirtute non posse); deinde uitiis suis sapientiam inscribit et abscondenda profitetur. 4. Itaque non ab Epicuro inpulsi luxuriantur, sed uitiis dediti luxuriam suam in philosophiae sinu abscondunt et eo concurrunt ubi audiant laudari uoluptatem. Nec aestimant uoluptas illa Epicuri – ita enim mehercules sentio – quam sobria ac sicca sit, sed ad nomen

XII

1. «Si troveranno male» mi si dirà «perché accadono molti fatti che turbano il loro animo e perché opinioni contrastanti rendono inquieto il loro spirito». Riconosco che è così; tuttavia, proprio quelle persone stolte e incostanti, sempre sotto la minaccia del rimorso, godranno di grossi piaceri, al punto che si deve ammettere che essi sono tanto lontani dalla sofferenza quanto dalla serenità, e, cosa molto frequente, sono preda di un'allegra follia e impazzano fra le risate. 2. Al contrario, i piaceri del saggio sono miti e misurati, quasi fiacchi e frenati, controllati e appena percettibili, perché vengono senza essere stati ricercati e, benché sopraggiunti spontaneamente, non sono tenuti in onore e sono accolti senza alcuna gioia da parte di chi li percepisce. Chi li riceve, li combina e li inserisce nella vita, come il gioco e lo scherzo nelle occupazioni serie.

3. Finiamola una volta per tutte di unire cose inconciliabili e di porre sullo stesso piano il piacere e la virtù; questo è un errore utile solo per l'adulazione degli uomini peggiori. Chi si effonde nei piaceri, sempre in preda alla pesantezza di stomaco e sempre ubriaco, perché sa di convivere con il piacere, crede di convivere anche con la virtù; sente dire, infatti, che il piacere non può essere separato dalla virtù: così chiama saggezza i suoi vizi e fa bella mostra di quanto dovrebbe invece nascondere. 4. Ecco dunque che, non per-

ipsum aduolant quaerentes libidinibus suis patrocinium aliquod ac uelamentum. 5. Itaque quod unum habebant in malis bonum perdunt, peccandi uerecundiam; laudant enim ea quibus erubescebant et uitio gloriantur; ideoque ne resurgere quidem †adulescentiae† licet, cum honestus turpi desidiae titulus accessit. Hoc est cur ista uoluptatis laudatio perniciosa sit, quia honesta praecepta intra latent, quod corrumpit apparet.

ché spintivi da Epicuro, si abbandonano al lusso, ma, dediti ai vizi, nascondono la loro lussuria nel seno della filosofia e si affollano di corsa là dove sentono dire che il piacere viene lodato. Non valutano quanto quel piacere di Epicuro (così almeno la penso io) sia sobrio e austero, ma si lasciano incantare dal suo nome, cercando una giustificazione e una scusa per le loro dissolutezze. 5. Perdono così quell'unico bene che avevano in mezzo ai loro mali: la vergogna del peccare; lodano i fatti di cui arrossivano, e si gloriano del vizio. Ecco la ragione per cui i giovani non riescono più nemmeno a recuperare le forze: perché a una vergognosa inerzia è stato dato un titolo onorifico. Per questo la lode del piacere è deleteria, perché i precetti rispettabili stanno nascosti all'interno della dottrina, mentre ciò che corrompe si mostra con evidenza.

XIII

1. In ea quidem ipse sententia sum – inuitis hoc nostris popularibus dicam – sancta Epicurum et recta praecipere et si propius accesseris tristia; uoluptas enim illa ad paruum et exile reuocatur et quam nos uirtuti legem dicimus, eam ille dicit uoluptati. Iubet illam parere naturae; parum est autem luxuriae quod naturae satis est. 2. Quid ergo est? Ille, quisquis desidiosum otium et gulae ac libidinis uices felicitatem uocat, bonum malae rei quaerit auctorem et, cum illo uenit blando nomine inductus, sequitur uoluptatem non quam audit sed quam attulit, et uitia sua cum coepit putare similia praeceptis, indulget illis non timide nec obscure, luxuriatur etiam inde aperto capite. Itaque non dicam quod plerique nostrorum, sectam Epicuri flagitiorum magistram esse, sed illud dico: male audit, infamis est. «At inmerito». 3. Hoc scire qui potest nisi interius admissus? Frons eius ipsa dat locum fabulae et ad malam spem inritat. Hoc tale est quale uir fortis stolam indutus: constat tibi pudicitia, uirilitas salua est, nulli corpus tuum turpi patientiae uacat, sed in manu tympanum est. Titulus itaque honestus eligatur et inscriptio ipsa excitans animum: quae stat, inuenerunt uitia.

4. Quisquis ad uirtutem accessit, dedit generosae indolis specimen: qui uoluptatem sequitur uidetur eneruis, fractus, †degenerans uiro†, peruenturus in turpia nisi ali-

XIII

1. Io sono convinto, e lo sosterrò anche a dispetto dei miei amici stoici: Epicuro dà precetti giusti e retti e, se li guardi bene, anche severi. Quel suo famoso piacere si riduce infatti a qualcosa di piccolo e di scarno, e la legge che noi stabiliamo per la virtù, egli la stabilisce per il piacere: egli vuole che obbedisca alla natura, ma è troppo poco per la lussuria quanto basta alla natura. 2. Che dunque? Chiunque chiama felicità l'ozio inoperoso e i rischi della gola e dei sensi chiede un suggeritore buono per una cosa cattiva; e mentre si lascia sedurre da una parola accattivante, segue non il piacere di cui sente parlare, ma quello che si è portato con sé. Quando incomincia a identificare i propri vizi con gli insegnamenti vi si abbandona non più timidamente né di nascosto, anzi si lascia andare ormai senza timore. Non condivido, pertanto, quanto sostiene la maggior parte dei miei colleghi, e cioè che la scuola di Epicuro è maestra di perdizione; credo invece che goda di una cattiva reputazione, che sia ingiustamente diffamata. 3. Ma chi può saperlo se non colui che lo ha studiato a fondo? Il suo aspetto esteriore può dare luogo a equivoci e suscitare cattivi propositi. È come quando un uomo forte si mette addosso abiti femminili; il tuo pudore sarà rimasto intatto, salva la tua virilità, non avrai prostituito il tuo corpo, però hai

quis distinxerit illi uoluptates, ut sciat quae ex eis intra naturale desiderium resistant, quae praeceps ferantur infinitaeque sint et quo magis inplentur eo magis inexplebiles. 5. Agedum, uirtus antecedat, tutum erit omne uestigium. Et uoluptas nocet nimia: in uirtute non est uerendum ne quid nimium sit, quia in ipsa est modus; non est bonum quod magnitudine laborat sua. Rationalem porro sortitis naturam quae melius res quam ratio proponitur? Et si placet ista iunctura, si hoc placet ad beatam uitam ire comitatu, uirtus antecedat, comitetur uoluptas et circa corpus ut umbra uersetur: uirtutem quidem, excelsissimam dominam, uoluptati tradere ancillam nihil magnum animo capientis est.

in mano un tamburello![3] Sono necessari quindi un titolo rispettabile e un'insegna edificante; quella attuale attira solo i vizi.

4. Chiunque si è avvicinato alla virtù ha dato prova di indole generosa; chi tiene dietro al piacere, appare snervato, corrotto, degenerato, pronto a scivolare lungo la china del vizio, a meno che qualcuno gli insegni a distinguere tra piacere e piacere, e gli permetta di conoscere quali tra i piaceri si mantengano nei limiti della natura e quali invece sono sfrenati e tanto più insaziabili quanto più si cerca di appagarli. 5. Orsù dunque, la virtù faccia da guida e il nostro cammino sarà sicuro. Inoltre il piacere nuoce, quando è eccessivo; nella virtù, invece, non c'è da temere che ci sia qualcosa di eccessivo, dato che ha la misura in se stessa: non è un bene ciò che soffre per la sua stessa grandezza. Inoltre, a chi ha avuto in sorte una natura razionale, quale cosa migliore della ragione si può proporre? E se si è d'accordo su questo collegamento, se si è d'accordo di andare verso la vita felice con questa compagnia, la virtù faccia da guida, le si accompagni il piacere, e le stia vicino come l'ombra al corpo; quanto alla virtù, che è la più eccelsa fra tutte le cose, consegnarla al piacere è proprio di un animo incapace di pensare a qualcosa di nobile.

[3] *tamburello*: simbolo dei Galli, sacerdoti della dea Cibele. Erano soliti indossare abiti femminili e spesso erano evirati.

XIV

1. Prima uirtus eat, haec ferat signa: habebimus nihilominus uoluptatem, sed domini eius et temperatores erimus; aliquid nos exorabit, nihil coget. At ei qui uoluptati tradidere principia utroque caruere; uirtutem enim amittunt, ceterum non ipsi uoluptatem, sed ipsos uoluptas habet, cuius aut inopia torquentur aut copia strangulantur, miseri si deseruntur ab illa, miseriores si obruuntur; sicut deprensi mari Syrtico modo in sicco relinquuntur, modo torrente unda fluctuantur. 2. Euenit autem hoc nimia intemperantia et amore caeco rei; nam mala pro bonis petenti periculosum est adsequi. Vt feras cum labore periculoque uenamur et captarum quoque illarum sollicita possessio est – saepe enim laniant dominos – ita habent se magnae uoluptates: in magnum malum euasere captaeque cepere; quae quo plures maioresque sunt, eo ille minor ac plurium seruus est quem felicem uulgus appellat. 3. Permanere libet in hac etiamnunc huius rei imagine. Quemadmodum qui bestiarumcubilia indagat et

laqueo captare feras
magno aestimat et
latos canibus circumdare saltus,

XIV

1. Per prima vada dunque la virtù e porti lei le insegne; ciò nonostante avremo il piacere, ma ne saremo padroni e regolatori; qualcosa otterrà da noi, a nulla ci costringerà. Ma quelli che hanno ceduto le armi al piacere rimarranno privi dell'una e dell'altro; perdono la virtù e non possiedono il piacere, ma il piacere possiede loro, o sono tormentati dalla sua mancanza, oppure vengono strangolati dalla sua abbondanza, infelici se ne sono abbandonati, più infelici se ne sono schiacciati: allo stesso modo, coloro che sono sorpresi dal mare delle Sirti[4] ora vengono buttati sulla riva, ora sono in balìa dei flutti impetuosi. 2. E ciò capita per l'eccessiva intemperanza e per l'amore cieco di qualcosa: infatti, per chi cerca il male come un bene, è pericoloso raggiungere lo scopo. Come con fatica e pericolo andiamo a caccia degli animali selvatici, e anche il loro possesso, una volta catturati, è motivo di preoccupazione (spesso infatti fanno a brani i padroni), così coloro che posseggono grandi piaceri vanno di solito a finire in un grosso male, e quei piaceri, dopo essere stati catturati, catturano; quanto più sono numerosi e più grandi, tanto più piccolo è, e servo di più padroni, colui che il volgo chiama "felice". 3. Soffermiamoci an-

[4] *Sirti*: due grandi insenature sulla costa dell'Africa settentrionale ritenute pericolose per i bassi fondali.

ut illarum uestigia premat, potiora deserit multisque officiis renuntiat, ita qui sectatur uoluptatem omnia postponit et primam libertatem neglegit ac pro uentre dependit, nec uoluptates sibi emit sed se uoluptatibus uendit.

cora su questa immagine: come colui che va cercando le tane degli animali e

a catturare le fiere con il laccio
dà molta importanza
e al circondare le grandi pianure con i cani[5]

per tener dietro alle loro orme abbandona affari più importanti e tralascia i suoi doveri, così chi segue le orme del piacere mette tutto il resto in seconda linea e come prima cosa non si cura della libertà e la spende per il ventre, e non compera per sé i piaceri, ma vende se stesso ai piaceri.

[5] *"catturare... con i cani"*: adattamento di Virgilio, *Georgiche*, I, vv. 139-140.

XV

1. «Quid tamen» inquit «prohibet in unum uirtutem uoluptatemque confundi et ita effici summum bonum ut idem et honestum et iucundum sit?» Quia pars honesti non potest esse nisi honestum nec summum bonum habebit sinceritatem suam, si aliquid in se uiderit dissimile meliori. 2. Ne gaudium quidem quod ex uirtute oritur, quamuis bonum sit, absoluti tamen boni pars est, non magis quam laetitia et tranquillitas, quamuis ex pulcherrimis causis nascantur; sunt enim ista bona, sed consequentia summum bonum, non consummantia. 3. Qui uero uirtutis uoluptatisque societatem facit et ne ex aequo quidem, fragilitate alterius boni quidquid in altero uigoris est hebetat libertatemque illam, ita demum si nihil se pretiosius nouit inuictam, sub iugum mittit. Nam, quae maxima seruitus est, incipit illi opus esse fortuna; sequitur uita anxia, suspiciosa, trepida, casum pauens, temporum suspensa momentis. 4. Non das uirtuti fundamentum graue, inmobile, sed iubes illam in loco uolubili stare; quid autem tam uolubile est quam fortuitorum expectatio et corporis rerumque corpus adficientium uarietas? Quomodo hic potest deo parere et quidquid euenit bono animo excipere nec de fato queri casuum suorum benignus interpres, si ad uoluptatum dolorumque punctiunculas concutitur? Sed ne patriae quidem bonus tutor aut uindex est nec ami-

XV

1. «Che cosa tuttavia impedisce» mi si dirà «che siano fusi insieme virtù e piacere, e che così si ottenga un sommo bene, che sia nello stesso tempo onesto e piacevole?». Perché parte dell'onesto non può essere che l'onesto, e il sommo bene non avrà più la sua purezza se vedrà in sé qualcosa di diverso da ciò che è migliore. 2. Neppure la gioia che nasce dalla virtù, per quanto sia un bene, è tuttavia parte del bene assoluto, non più della letizia e della tranquillità, per quanto nascano da bellissime cause; questi sono infatti beni, ma tengono dietro al sommo bene, non lo perfezionano. 3. Chi fa un'alleanza fra virtù e piacere, pur senza metterli sullo stesso piano, indebolisce con la fragilità dell'uno il vigore dell'altra, e avvilisce quella libertà che è invincibile solo se non conosce qualcosa di più prezioso di se stessa. Infatti, ed è la schiavitù più grande, incomincia ad aver bisogno della fortuna; ne segue una vita ansiosa, piena di sospetti, trepidante, timorosa di ogni cambiamento, condizionata dalle circostanze. 4. Non poni la virtù su una base solida e stabile, anzi la costringi a stare in un luogo instabile. E che cosa c'è di più instabile dell'attesa dei casi fortuiti e dei cambiamenti del corpo e delle cose che lo colpiscono? Come può quest'uomo ubbidire al dio, accogliere di buon animo tutto ciò che accade e non lamentarsi del destino, perché interprete benevolo delle proprie vicende, se è scosso dai più piccoli

corum propugnator, si ad uoluptates uergit. 5. Illo ergo summum bonum escendat unde nulla ui detrahitur, quo neque dolori neque spei nec timori sit aditus nec ulli rei quae deterius summi boni ius faciat; escendere autem illo sola uirtus potest. Illius gradu cliuus iste frangendus est; illa fortiter stabit et quidquid euenerit feret non patiens tantum sed etiam uolens, omnemque temporum difficultatem sciet legem esse naturae et ut bonus miles feret uulnera, numerabit cicatrices, et transuerberatus telis moriens amabit eum pro quo cadet imperatorem; habebit illud in animo uetus praeceptum: deum sequere. 6. Quisquis autem queritur et plorat et gemit, imperata facere ui cogitur et inuitus rapitur ad iussa nihilominus. Quae autem dementia est potius trahi quam sequi! Tam mehercules quam stultitia et ignoratio condicionis est suae dolere quod deest aliquid tibi aut incidit durius, aeque mirari aut indigne ferre ea quae tam bonis accidunt quam malis, morbos dico, funera, debilitates et cetera ex transuerso in uitam humanam incurrentia. 7. Quidquid ex uniuersi constitutione patiendum est, magno suscipiatur animo: ad hoc sacramentum adacti sumus, ferre mortalia nec perturbari iis quae uitare non est nostrae potestatis. In regno nati sumus: deo parere libertas est.

stimoli dei piaceri e dei dolori? Ma, se pensa solo ai piaceri, non può essere neppure un buon difensore o salvatore della patria né protettore degli amici. 5. Il sommo bene si ponga dunque là dove nessuna forza possa strapparlo, dove non ci sia ingresso né per il dolore né per l'aspettativa né per il timore né per alcuna cosa che comprometta il diritto del sommo bene; solo la virtù può salire lassù: con i suoi passi essa deve superare questa salita; la virtù resisterà e sopporterà ogni cosa non solo con rassegnazione, ma con gioia: saprà che ogni difficoltà delle circostanze è legge di natura e farà come un buon soldato che sopporta le ferite, conta le cicatrici e, trafitto dai dardi, nel momento di morire, amerà il comandante per cui cade; avrà insomma nel cuore l'antico precetto: «Segui il dio». 6. Chi invece si lamenta, piange e geme, è costretto a ubbidire e, anche contro voglia, è costretto a eseguire gli ordini. Che follia è farsi trascinare anziché seguire di propria volontà! Così, per Ercole, è stoltezza e ignoranza della propria condizione lamentarti per qualcosa che ti manca, o ti colpisce, o meravigliarti e sdegnarti per i mali che capitano ai buoni come ai cattivi, vale a dire le malattie, i lutti, le infermità e tutte le altre disgrazie della vita umana. 7. Sopportiamo dunque con animo generoso tutto ciò che per legge dell'universo ci tocca di patire. Siamo stati vincolati da questo giuramento: sopportare le cose mortali e non lasciarci turbare da ciò che non possiamo evitare. Siamo nati in un regno: ubbidire al dio è la libertà.

XVI

1. Ergo in uirtute posita est uera felicitas. Quid haec tibi uirtus suadebit? Ne quid aut bonum aut malum existimes quod nec uirtute nec malitia continget; deinde ut sis inmobilis et contra malum ‹et› ex bono, ut qua fas est deum effingas. 2. Quid tibi pro hac expeditione promittit? Ingentia et aequa diuinis: nihil cogeris, nullo indigebis, liber eris, tutus indemnis; nihil frustra temptabis, nihil prohibeberis; omnia tibi ex sententia cedent, nihil aduersum accidet, nihil contra opinionem ac uoluntatem. 3. «Quid ergo? uirtus ad beate uiuendum sufficit?» Perfecta illa et diuina quidni sufficiat, immo superfluat? Quid enim deesse potest extra desiderium omnium posito? Quid extrinsecus opus est ei qui omnia sua in se collegit? Sed ei qui ad uirtutem tendit, etiam si multum processit, opus est aliqua fortunae indulgentia adhuc inter humana luctanti, dum nodum illum exsoluit et omne uinculum mortale. Quid ergo interest? Quod arte alligati sunt alii, adstricti [alii], districti quoque: hic qui ad superiora progressus est et se altius extulit laxam catenam trahit, nondum liber, iam tamen pro libero.

XVI

1. Ecco, dunque: nella virtù è posta la vera felicità. Che cosa ti consiglierà questa virtù? Di ritenere bene o male solo ciò che proviene rispettivamente dalla virtù o dal vizio. Ti consiglierà inoltre di essere incrollabile sia contrastando il male sia seguendo il bene, affinché, per quanto ti è consentito, riproduca in te l'immagine della divinità. 2. Che cosa ti promette in premio di questo comportamento? Premi immensi degni degli dèi: a nulla sarai costretto, di nulla avrai bisogno; sarai libero, protetto, al riparo da danni; nulla tenterai inutilmente, nulla ti sarà proibito; tutto avverrà secondo il tuo desiderio, nessuna disgrazia ti colpirà, nulla ti accadrà contro le tue aspettative e contro la tua volontà. 3. «Che cosa dici? È sufficiente la virtù per essere felici?» Essendo perfetta e divina, perché non dovrebbe bastare, anzi sovrabbondare? Che cosa può infatti mancare a chi si trova al di fuori di ogni desiderio? Di che cosa ha bisogno dall'esterno chi ha raccolto tutte le sue cose in se stesso? Ma chi tende alla virtù, anche se ha fatto grandi progressi, ha bisogno di una certa benevolenza della fortuna, dato che ancora lotta fra le vicende umane, finché non abbia sciolto quel nodo e ogni legame mortale. Che differenza c'è dunque? Essa consiste nel fatto che alcuni sono legati strettamente, altri perfino avvinti, mentre chi si è già incamminato

verso le cose superiori ed è salito più in alto trascina sì anch'egli una catena, ma una catena allentata; non è ancora libero, ma è già quasi come se lo fosse.

XVII

1. Si quis itaque ex istis qui philosophiam conlatrant quod solent dixerit: «quare ergo tu fortius loqueris quam uiuis? Quare et superiori uerba summittis et pecuniam necessarium tibi instrumentum existimas et damno moueris et lacrimas audita coniugis aut amici morte demittis et respicis famam et malignis sermonibus tangeris? 2. Quare cultius rus tibi est quam naturalis usus desiderat? Cur non ad praescriptum tuum cenas? Cur tibi nitidior supellex est? Cur apud te uinum aetate tua uetustius bibitur? Cur aurum disponitur? Cur arbores nihil praeter umbram daturae conseruntur? Quare uxor tua locupletis domus censum auribus gerit? Quare paedagogium pretiosa ueste succingitur? Quare ars est apud te ministrare nec temere et ut libet conlocatur argentum sed perite struitur et est aliquis scindendi obsonii magister?» Adice si uis: «cur trans mare possides? Cur plura quam nosti? ‹Cur› turpiter aut tam neglegens es ut non noueris pauculos seruos aut tam luxuriosus ut plures habeas quam quorum notitiae memoria sufficiat?» 3. Adiuuabo postmodo conuicia et plura mihi quam putas obiciam, nunc hoc respondeo tibi: non sum sapiens et, ut maliuolentiam tuam pascam, nec ero. Exige itaque a me, non ut optimis par sim, sed ut malis melior: hoc mihi satis est, cotidie aliquid ex uitiis meis demere et errores meos obiurgare. 4. Non perueni

XVII

1. Se dunque qualcuno di quelli che abbaiano contro i filosofi dirà, come è solito dire: «Perché non vivi con quel coraggio che insegni agli altri? Perché abbassi la voce davanti a un superiore, tieni tanto ai soldi e hai paura di perderli, ti abbatti per una sconfitta, fai scorrere lacrime alla notizia della morte della moglie o dell'amico, ti preoccupi della tua fama e ti offendi per le critiche malevole? 2. Perché lavori i tuoi campi più di quanto sia necessario? Perché non ti siedi a tavola mettendo in pratica le regole che predichi? Perché i tuoi mobili sono così raffinati? Perché in casa tua si beve un vino più vecchio della tua età? Perché vengono ordinatamente esposti gli oggetti d'oro? Perché hai fatto piantare alberi, anche se per loro natura non daranno altro che ombra? Perché tua moglie porta gioielli, patrimonio di un grande casato? Perché i tuoi servi indossano vesti preziose? Perché in casa tua imbandire la tavola è un'arte, e l'argenteria non è disposta a caso, ma è usata per servire con grande cura, e c'è un cerimoniere addetto a dividere le vivande?». Aggiungi, se vuoi: «Perché hai possedimenti al di là del mare? Perché hai più ricchezze di quante tu stesso puoi sapere? Perché o sei così turpemente trascurato da non conoscere i tuoi pochi schiavi, oppure così ricco da averne troppi perché tu possa ricordarne i nomi?». 3. Ebbene, ti fornirò io argomenti per inveire con-

ad sanitatem, ne perueniam quidem; delenimenta magis quam remedia podagrae meae compono, contentus si rarius accedit et si minus uerminatur: uestris quidem pedibus comparatus, debiles, cursor sum. Haec non pro me loquor – ego enim in alto uitiorum omnium sum – sed pro illo cui aliquid acti est.

tro di me, e mi rivolgerò più accuse di quante ne possono venire in mente a te. Per ora ti rispondo così: «Io non sono saggio e, per dare alimento al tuo astio, neppure lo sarò. Esigi dunque da me non che io sia pari ai migliori, ma migliore dei malvagi: questo mi basta, togliere ogni giorno qualcosa dai miei mali, e biasimare i miei sbagli. 4. Non sono giunto alla completa salute, neppure ci giungerò; per la mia gotta uso dei palliativi più che dei rimedi, contento se mi attacca più di rado e se dà meno fitte: ma paragonato con i vostri piedi, o storpi, io sono un corridore». Ciò non lo dico per me (io infatti sto nel profondo di tutti i vizi), ma per colui che ha già ottenuto qualche risultato concreto.

XVIII

1. «Aliter» inquis «loqueris, aliter uiuis.» Hoc, malignissima capita et optimo cuique inimicissima, Platoni obiectum est, obiectum Epicuro, obiectum Zenoni; omnes enim isti dicebant non quemadmodum ipsi uiuerent, sed quemadmodum esset ‹et› ipsis uiuendum. De uirtute, non de me loquor, et cum uitiis conuicium facio, in primis meis facio: cum potuero, uiuam quomodo oportet. 2. Nec malignitas me ista multo ueneno tincta deterrebit ab optimis; ne uirus quidem istud quo alios spargitis, quo uos necatis, me inpediet quominus perseuerem laudare uitam non quam ago sed quam agendam scio, quominus uirtutem adorem et ex interuallo ingenti reptabundus sequar. 3. Expectabo scilicet ut quicquam maliuolentiae inuiolatum sit, cui sacer nec Rutilius fuit nec Cato? Curet aliquis an istis nimis diues uideatur quibus Demetrius Cynicus parum pauper est? Virum acerrimum et contra omnia naturae desideria pugnantem, hoc pauperiorem quam ceteros Cynicos quod, cum sibi interdixerit habere, interdixit et poscere, negant satis egere. Vides enim: non uirtutis scientiam sed egestatis professus est.

XVIII

1. «Tu parli in un modo, ma ti comporti in un altro» mi si dirà. Questo rimprovero (o gente maligna e nemica degli uomini migliori) fu già rivolto a Platone, a Epicuro, a Zenone: tutti costoro parlavano infatti non del modo in cui vivevano loro, ma del modo in cui si deve vivere. Parlo della virtù, non di me, e quando mi scaglio contro i vizi incomincio dai miei; quando mi sarà possibile, vivrò come dovrei. 2. Non questa malignità, tinta di molto veleno, mi distoglierà dalle cose migliori; neppure questa bava, di cui cospargete gli altri, di cui vi soffocate, mi impedirà di perseverare nel lodare non la vita che io conduco, ma quella che so deve essere condotta, di adorare la virtù e di seguirla, a grande distanza, arrancando. 3. Dovrei aspettarmi forse che questa cattiveria rispetti qualcosa, dal momento che non ha rispettato neppure Rutilio e Catone? Devo preoccuparmi di non sembrare troppo ricco a costoro che non ritengono abbastanza povero Demetrio il cinico? Anche un uomo così severo con tutte le esigenze naturali, più povero degli altri Cinici, perché non solo si privava di possedere, ma si privava anche di chiedere, dicono che non sia povero abbastanza! Eppure, lo vedi bene: egli ha fatto professione non della teoria della virtù, ma della povertà.

XIX

1. Diodorum, Epicureum philosophum, qui intra paucos dies finem uitae suae manu sua inposuit, negant ex decreto Epicuri fecisse quod sibi gulam praesecuit: alii dementiam uideri uolunt factum hoc eius, alii temeritatem. Ille interim beatus ac plenus bona conscientia reddidit sibi testimonium uita excedens laudauitque aetatis in portu et ad ancoram actae quietem et dixit quod uos inuiti audistis, quasi uobis quoque faciendum sit:

uixi et quem dederat cursum fortuna peregi.

2. De alterius uita, de alterius morte disputatis et ad nomen magnorum ob aliquam eximiam laudem uirorum, sicut ad occursum ignotorum hominum minuti canes, latratis; expedit enim uobis neminem uideri bonum, quasi aliena uirtus exprobratio delictorum †omnium† sit. Inuidi splendida cum sordibus uestris confertis nec intellegitis quanto id uestro detrimento audeatis. Nam si illi qui uirtutem sequuntur auari libidinosi ambitiosique sunt, quid uos estis quibus ipsum nomen uirtutis odio est? 3. Negatis quemquam praestare quae loquitur nec ad exemplar orationis suae uiuere: quid mirum, cum loquantur fortia ingentia, omnis humanas tempestates euadentia? Cum refigere se crucibus conentur – in quas

XIX

1. Dicono che Diodoro, filosofo epicureo, morto suicida pochi giorni fa, non si è tagliato la gola per ubbidire a un precetto di Epicuro: alcuni vogliono che il suo gesto sia da interpretarsi come pazzia, altri come sconsideratezza. Intanto lui, felice e pieno di buona coscienza, ha reso testimonianza a se stesso uscendo dalla vita, ha lodato la quiete della sua esistenza trascorsa in porto e all'àncora, ha detto ciò che voi invidiosi avete ascoltato, come se anche voi doveste farlo:

> sono vissuto, e ho portato a termine il corso che la sorte
> [mi aveva dato.[6]

2. Sulla vita di uno, sulla morte di un altro voi discutete e abbaiate contro il nome di uomini grandi per le loro virtù, come i cani piccoli quando si imbattono in gente sconosciuta. Vi conviene, infatti, che nessuno sia ritenuto virtuoso, perché la virtù degli altri è un rimprovero per le vostre colpe. Invidiosi, confrontate ciò che brilla per virtù con le vostre turpitudini, e non capite con quanto vostro danno avete la sfrontatezza di fare ciò. Se infatti quelli che si sforzano di essere onesti sono avidi, servi dei loro capricci

[6] *sono vissuto... aveva dato*: Virgilio, *Eneide*, IV, v. 653.

unusquisque uestrum clauos suos ipse adigit – ad supplicium tamen acti stipitibus singulis pendent: hi qui in se ipsi animum aduertunt quot cupiditatibus tot crucibus distrahuntur. At maledici, in alienam contumeliam uenusti sunt. Crederem illis hoc uacare, nisi quidam ex patibulo suo spectatores conspuerent.

e ambiziosi, che cosa siete voi, che avete in odio persino il nome della virtù? 3. Dite che nessuno mette in pratica quello che dice e non vive secondo il modello offerto dal suo discorso: che cosa c'è di strano, dato che parlano di cose coraggiose, grandi, che si sottraggono a tutte le vicende umane? Se anche non riescono a staccarsi dalle croci sulle quali ciascuno di voi conficca i suoi chiodi, almeno, quando vengono condotti al supplizio, pendono da un palo soltanto; costoro, invece, che guardano solo se stessi, sono straziati da tante croci quante sono le loro passioni. Eppure, sono maldicenti, capaci solo di offendere il prossimo. Potrei crederli esenti da questo vizio se non ci fosse qualcuno che, anche mentre pende dalla forca, sputa su chi lo guarda.

XX

1. «Non praestant philosophi quae loquuntur.» Multum tamen praestant quod loquuntur, quod honesta mente concipiunt. Vtinam quidem et paria dictis agerent: quid esset illis beatius? Interim non est quod contemnas bona uerba et bonis cogitationibus plena praecordia: studiorum salutarium etiam citra effectum laudanda tractatio est. 2. Quid mirum, si non escendunt in altum ardua adgressi? Sed si uir es, suspice, etiam si decidunt, magna conantis. Generosa res est respicientem non ad suas sed ad naturae suae uires conari alta temptare et mente maiora concipere quam quae etiam ingenti animo adornatis effici possunt. 3. Qui sibi hoc proposuit: «ego mortem eodem uultu quo audiam uidebo. Ego laboribus, quanticumque illi erunt, parebo, animo fulciens corpus. Ego diuitias et praesentis et absentis aeque contemnam, nec si aliubi iacebunt tristior, nec si circa me fulgebunt animosior. Ego fortunam nec uenientem sentiam nec recedentem. Ego terras omnis tamquam meas uidebo, meas tamquam omnium. Ego sic uiuam quasi sciam aliis esse me natum et naturae rerum hoc nomine gratias agam: quo enim melius genere negotium meum agere potuit? Unum me donauit omnibus, uni mihi omnis. 4. Quidquid habebo nec sordide custodiam nec prodige spargam; nihil magis possidere me credam quam bene donata. Non numero nec pondere beneficia nec

XX

1. «I filosofi non mettono in pratica quello che predicano.» Tuttavia fanno già molto, proprio perché predicano e perché concepiscono pensieri onesti; certamente, se concepissero anche azioni pari alle loro parole, che ci sarebbe di più felice di loro? Perciò non disprezzare le parole virtuose e gli animi ricchi di buona volontà. La meditazione sulla saggezza è sempre lodevole, indipendentemente dai risultati. 2. Che cosa c'è di strano se non salgono in alto, avendo posto mano a problemi ardui? Ma se sei un vero uomo, ammira, anche se cade, chi tenta grandi cose. È degno di onore impegnarsi non in misura delle proprie forze, ma di quelle della natura, e mirare in alto e concepire con la propria mente cose più grandi di quelle che si possono ottenere da chi è in possesso di un animo grande. 3. Chi si è dato come proposito: «guarderò in faccia la morte con lo stesso volto di quando ne sento parlare; io alle fatiche, per quanto grandi, mi sottoporrò, sostenendo il corpo con l'animo; io disprezzerò ugualmente le ricchezze presenti e future, senza addolorarmi se andranno in mano ad altri e senza vantarmi se risplenderanno intorno a me; io non mi accorgerò della fortuna né quando viene né quando si allontana. Io guarderò tutte le terre come mie, le mie come di tutti. Io vivrò come se sapessi di essere nato per gli altri, e sotto questo aspetto ringrazierò la natura: come

ulla nisi accipientis aestimatione perpendam; numquam id mihi multum erit quod dignus accipiet. Nihil opinionis causa, omnia conscientiae faciam. Populo spectante fieri credam quidquid me conscio faciam. 5. Edendi mihi erit bibendique finis desideria naturae restinguere, non inplere aluum et exinanire. Ero amicis iucundus, inimicis mitis et facilis. Exorabor antequam roger, et honestis precibus occurram. Patriam meam esse mundum sciam et praesides deos, hos supra me circaque me stare factorum dictorumque censores. Quandoque aut natura spiritum repetet aut ratio dimittet, testatus exibo bonam me conscientiam amasse, bona studia, nullius per me libertatem deminutam, minime meam» – qui haec facere proponet, uolet, temptabit, ad deos iter faciet, ne ille, etiam si non tenuerit, magnis tamen excidit ausis. 6. Vos quidem, quod uirtutem cultoremque eius odistis, nihil noui facitis. Nam et solem lumina aegra formidant et auersantur diem splendidum nocturna animalia, quae ad primum eius ortum stupent et latibula sua passim petunt, abduntur in aliquas rimas timida lucis. Gemite et infelicem linguam bonorum exercete conuicio, hiate commordete: citius multo frangetis dentes quam inprimetis.

avrebbe potuto, essa, fare meglio il mio interesse? Essa ha donato me solo a tutti e tutti a me solo. 4. Di tutto quello che avrò, non sarò né avaro custode né prodigo scialacquatore. Nulla crederò di possedere maggiormente che le cose opportunamente donate. Non valuterò i benefici in base al numero e al peso, ma solo in base alla stima di chi li riceverà; mai a mio giudizio sarà troppo ciò che riceverà una persona degna. Non farò nulla secondo l'opinione comune, ma farò tutto seguendo la mia coscienza: quanto farò essendone io stesso testimone, riterrò di farlo sotto gli occhi di tutti. 5. Sarà per me limite del mangiare e del bere lo spegnere i bisogni della natura, non il riempire e scaricare il ventre. Sarò piacevole con gli amici, con i nemici mite e condiscendente. Darò prima di essere pregato, anzi, anticiperò le giuste richieste. Saprò che la mia patria è il mondo e che gli dèi ne sono i custodi: questi si ergono sopra di me e intorno a me come giudici dei fatti e delle parole. Quando la natura, una volta o l'altra, chiederà indietro il mio spirito o la ragione lo congederà, me ne uscirò dalla vita testimoniando che ho amato la buona coscienza, gli studi filosofici, che non ho attentato alla libertà di nessuno, nemmeno alla mia», chi dunque si proporrà di fare ciò, lo vorrà, lo tenterà, costui marcerà verso gli dèi e, anche se non li raggiungerà "almeno sarà caduto nella grande impresa".[7] 6. Quanto a voi, che odiate la virtù e chi la coltiva, non fate nulla di nuovo. Infatti gli occhi malati hanno paura del sole, e gli animali notturni rifiutano la luce del giorno e al primo albeggiare restano abbagliati, e corrono alla rinfusa nei loro nascondigli, si nascondono in qualche buco, incapaci di sopportare la luce. Gridate

[7] *almeno sarà... impresa*: citazione di Ovidio. *Metamorfosi*, II, v. 328.

pure ed esercitate la vostra lingua malefica insultando gli uomini virtuosi, spalancate la bocca, mordete con forza: vi romperete i denti prima che lascino il segno.

XXI

1. «Quare ille philosophiae studiosus est et tam diues uitam agit? Quare opes contemnendas dicit et habet, uitam contemnendam putat et tamen uiuit, ualetudinem contemnendam, et tamen illam diligentissime tuetur atque optimam mauult? Et exilium uanum nomen putat et ait "quid enim est mali mutare regiones?" et tamen, si licet, senescit in patria? Et inter longius tempus et breuius nihil interesse iudicat, tamen, si nihil prohibet, extendit aetatem et in multa senectute placidus uiret?» 2. Ait ista debere contemni, non ne habeat, sed ne sollicitus habeat; non abigit illa a se, sed abeuntia securus prosequitur. Diuitias quidem ubi tutius fortuna deponet quam ibi unde sine querella reddentis receptura est? 3. M. Cato cum laudaret Curium et Coruncanium et illud saeculum in quo censorium crimen erat paucae argenti lamellae possidebat ipse quadragies sestertium, minus sine dubio quam Crassus, plus quam censorius Cato. Maiore spatio, si compararentur, proauum uicerat quam a Crasso uinceretur, et, si maiores illi obuenissent opes, non spreuisset. 4. Nec enim se sapiens indignum ullis muneribus fortuitis putat: non amat diuitias sed mauult; non in animum illas sed in domum recipit, nec respuit possessas sed continet, et maiorem uirtuti suae materiam subministrari uult.

XXI

1. «Perché quella persona ha interessi per la filosofia e vive così da ricco? Perché dice di disprezzare le ricchezze, ma poi se le gode? Giudica spregevole la vita, però è vivo, e dice di non dar peso alla salute, ma poi la cura con ogni scrupolo e desidera che sia eccellente? E ritiene l'esilio un nome vuoto, e dice; "Che male c'è a cambiare paese?" e tuttavia, se è possibile, invecchia in patria. E giudica che non c'è alcuna differenza fra un tempo lungo e uno breve ma, se nulla lo proibisce, prolunga la vita e fiorisce tranquillo in una tarda vecchiaia?» 2. Egli dice che non bisogna badare a queste cose non per rinunciare al loro possesso, ma per goderle in tranquillità; non le scaccia da sé, ma, quando se ne vanno, le congeda senza affanni. Dove potrà la fortuna collocare le sue ricchezze se non là dove potrà riprenderle senza le lamentele di chi ne ha usufruito? 3. M. Catone, lodando Curio e Coruncanio e quella generazione in cui poche laminette d'argento erano una colpa punita dal censore, possedeva personalmente quattro milioni di sesterzi, meno senza dubbio di Crasso, più di Catone il censore. Se si fa un confronto, aveva superato il bisnonno molto più di quanto Crasso non superasse lui, e se gli fosse toccata una sostanza maggiore non l'avrebbe disprezzata. 4. Il saggio non si giudica indegno dei doni della fortuna, non ama

le ricchezze, ma preferisce averle; non le accoglie nell'animo, ma in casa; non rifiuta quelle che possiede, ma le domina e vuole che esse offrano maggiori possibilità alla sua virtù.

XXII

1. Quid autem dubii est quin haec maior materia sapienti uiro sit animum explicandi suum in diuitiis quam in paupertate, cum in hac unum genus uirtutis sit non inclinari nec deprimi, in diuitiis et temperantia et liberalitas et diligentia et dispositio et magnificentia campum habeat patentem? 2. Non contemnet se sapiens, etiam si fuerit minimae staturae, esse tamen se procerum uolet. Et exilis corpore aut amisso oculo ualebit, malet tamen sibi esse corporis robur, et hoc ita ut sciat esse aliud in se ualentius; malam ualetudinem tolerabit, bonam optabit. 3. Quaedam enim, etiam si in summam rei parua sunt [ait] et subduci sine ruina principalis boni possunt, adiciunt tamen aliquid ad perpetuam laetitiam et ex uirtute nascentem: sic illum adficiunt diuitiae et exhilarant ut nauigantem secundus et ferens uentus, ut dies bonus et in bruma ac frigore apricus locus. 4. Quis porro sapientium - nostrorum dico, quibus unum est bonum uirtus - negat etiam haec quae indifferentia uocamus habere aliquid in se pretii et alia aliis esse potiora? Quibusdam ex iis tribuitur aliquid honoris, quibusdam multum; ne erres itaque, inter potiora diuitiae sunt. 5. «Quid ergo» inquis «me derides, cum eundem apud te locum habeant quem apud me?» Vis scire quam non eundem habeant locum? Mihi diuitiae si effluxerint, nihil auferent nisi

XXII

1. Chi dubita che il sapiente abbia maggiori possibilità di manifestare il suo animo nella ricchezza che nella povertà? Nella povertà l'unica forma di virtù è quella di non lasciarsi mai piegare né deprimere, mentre nella ricchezza si possono ampiamente esplicare la temperanza, la liberalità, la diligenza, l'equilibrio e la grandezza d'animo. 2. Il saggio non si disprezzerà anche se sarà di piccolissima statura, vorrebbe tuttavia essere alto. E ancora, striminzito nel fisico o senza un occhio, avrà comunque vigore morale; tuttavia preferirebbe avere piena forza fisica, e questo sempre sapendo che qualcosa d'altro c'è in lui di più vigoroso. Sopporterà la cattiva salute, pur augurandosi la buona. 3. Certe cose, infatti, anche se nel complesso non sono molto importanti e possono venir tolte senza che venga meno il bene principale, aggiungono tuttavia qualcosa alla letizia ininterrotta, che nasce dalla virtù: le ricchezze influiscono sul saggio e gli danno la stessa piacevole sensazione che dà a chi naviga il vento favorevole e vigoroso o come una bella giornata di sole o un luogo soleggiato nel freddo dell'inverno. 4. Chi poi fra i saggi (parlo dei nostri, per i quali unico bene è la virtù) dice che anche questi dati, che definiamo indifferenti, non hanno in sé qualche valore, e che gli uni sono preferibili agli altri? Ad alcune cose si attribuisce qualche onore, ad altre molto. Non sbagliarti

semet ipsas, tu stupebis et uideberis tibi sine te relictus, si illae a te recesserint; apud me diuitiae aliquem locum habent, apud te summum; ad postremum diuitiae meae sunt, tu diuitiarum es.

dunque: le ricchezze sono tra le cose preferibili. 5. «Perché allora» mi obietta «mi deridi se per te le ricchezze hanno la stessa importanza che per me?». Vuoi sapere in quale misura non hanno la stessa importanza? A me, se le ricchezze dovessero svanire, non porteranno via niente altro che se stesse; tu, invece, rimarrai stordito se esse ti abbandoneranno, e ti sembrerà di esser privato di te stesso. Per me le ricchezze hanno un certo valore, per te il massimo valore; in conclusione, nel mio caso le ricchezze sono mie, nel tuo caso sei tu che appartieni alle ricchezze.

XXIII

1. Desine ergo philosophis pecunia interdicere: nemo sapientiam paupertate damnauit. Habebit philosophus amplas opes, sed nulli detractas nec alieno sanguine cruentas, sine cuiusquam iniuria partas, sine sordidis quaestibus, quarum tam honestus sit exitus quam introitus, quibus nemo ingemescat nisi malignus. In quantum uis exaggera illas: honestae sunt in quibus, cum multa sint quae sua quisque dici uelit, nihil est quod quisquam suum possit dicere. 2. Ille uero fortunae benignitatem a se non summouebit et patrimonio per honesta quaesito nec gloriabitur nec erubescet. Habebit tamen etiam quo glorietur, si aperta domo et admissa in res suas ciuitate poterit dicere «quod quisque agnouerit tollat». O magnum uirum, ‹o› optime diuitem, si post hanc uocem tantundem habuerit! Ita dico: si tuto et securus scrutationem populo praebuerit, si nihil quisquam apud illum inuenerit quoi manus iniciat, audaciter et propalam erit diues. 3. Sapiens nullum denarium intra limen suum admittet male intrantem; idem magnas opes, munus fortunae fructumque uirtutis, non repudiabit nec excludet. Quid enim est quare illis bono loco inuideat? Ueniant, hospitentur. Nec iactabit illas nec abscondet – alterum infruniti animi est, alterum timidi et pusilli, uelut magnum bonum intra sinum continentis – nec, ut dixi, eiciet illas e domo. 4. Quid enim

XXIII

1. Smettila dunque di proibire il denaro ai filosofi: nessuno ha mai condannato il saggio a essere povero. Il filosofo avrà grandi ricchezze, ma non portate via a nessuno, né bagnate di sangue altrui, ottenute senza offendere il diritto di nessuno, senza illeciti guadagni; la loro uscita sia tanto onesta quanto l'entrata, e su di esse nessuno si lamenterà se non i malvagi. Puoi accrescerle quanto ti pare; sono oneste perché, anche se molte di tali ricchezze ognuno vorrebbe dirle sue, non ce n'è tuttavia una che possa veramente dire sua. 2. Quanto al saggio, egli non scanserà da sé la benevolenza della fortuna, e di un patrimonio acquisito con mezzi onesti né si glorierà né arrossirà. Avrà anzi motivo di gloriarsene se, aperta la sua casa e ammessa la cittadinanza alla vista delle cose sue, sarà in grado di dire: «ciò che ciascuno avrà riconosciuto come suo, se lo porti via». Uomo davvero nobile, ricco a buon diritto chi, dopo quell'invito, continuerà a possedere quanto aveva prima! Io dirò così: se in piena sicurezza e tranquillità potrà sottoporsi a tale esame, se nessuno avrà trovato da lui qualcosa da rivendicare, egli potrà essere ricco in piena coscienza e davanti a tutti. 3. Il sapiente non permetterà che nemmeno un soldo di oscura provenienza entri in casa sua; ma con lo stesso criterio non rifiuterà né ripudierà ricchezze anche grandi, dono della fortuna e frutto della virtù. Perché rifiutare

dicet? Utrumne «inutiles estis» an «ego uti diuitiis nescio»? Quemadmodum etiam pedibus suis poterit iter conficere, escendere tamen uehiculum malet, sic pauper [si] poterit esse, diues uolet. Habebit itaque opes, sed tamquam leues et auolaturas, nec ulli alii eas nec sibi graues esse patietur. 5. Donabit – quid erexistis aures, quid expeditis sinum? – donabit aut bonis aut eis quos facere poterit bonos, donabit cum summo consilio dignissimos eligens, ut qui meminerit tam expensorum quam acceptorum rationem esse reddendam, donabit ex recta et probabili causa, nam inter turpes iacturas malum munus est; habebit sinum facilem, non perforatum, ex quo multa exeant et nihil excidat.

loro un posto onorevole? Vengano pure, saranno accolte. Il sapiente non ne farà sfoggio, ma nemmeno le nasconderà (il primo comportamento è da sciocco, il secondo da timido e da pusillanime, che vuole tenere soltanto per sé un gran bene); come ho già detto, non le caccerà dalla sua casa. 3. Che cosa dirà, infatti? «Siete inutili» oppure: «Io non so servirmi della ricchezza»? Come chi è in grado di fare un viaggio a piedi comunque preferisce sempre farlo in carrozza, così, se da povero avrà l'occasione di diventare ricco, l'accetterà volentieri. Avrà dunque ricchezze, ma considerandole come cose leggere e tali da potersene volar via, né permetterà che siano pesanti né per qualche altro né per se stesso. 5. Donerà (perché drizzate le orecchie e aprite le tasche?) o ai buoni o a coloro che sarà in grado di rendere buoni, donerà con criterio rigorosissimo, scegliendo i più degni, ricordando come bisogna dare atto sia delle uscite sia delle entrate; donerà in base a un motivo onesto e di cui si può render conto (infatti, un cattivo dono è da ritenersi una perdita vergognosa), avrà la borsa generosa, non bucata, dalla quale potrà uscire molto, ma non potrà cadere nulla.

XXIV

1. Errat si quis existimat facilem rem esse donare: plurimum ista res habet difficultatis, si modo consilio tribuitur, non casu et impetu spargitur. Hunc promereor, illi reddo; huic succurro, huius misereor; illum instruo dignum quem non deducat paupertas nec occupatum teneat; quibusdam non dabo quamuis desit, quia etiam si dedero erit defuturum; quibusdam offeram, quibusdam etiam inculcabo. Non possum in hac re esse neglegens; numquam magis nomina facio quam cum dono. 2. «Quid? tu» inquis «recepturus donas?» Immo non perditurus: eo loco sit donatio unde repeti non debeat, reddi possit. Beneficium conlocetur quemadmodum thesaurus alte obrutus, quem non eruas nisi fuerit necesse. 3. Quid? Domus ipsa diuitis uiri quantam habet bene faciendi materiam! Quis enim liberalitatem tantum ad togatos uocat? Hominibus prodesse natura me iubet. Serui liberine sint hi, ingenui an libertini, iustae libertatis an inter amicos datae, quid refert? ubicumque homo est, ibi benefici locus est. Potest itaque pecunia etiam intra limen suum diffundi et liberalitatem exercere, quae non quia liberis debetur sed quia a libero animo proficiscitur ita nominata est. Haec apud sapientem nec umquam in turpes indignosque inpingitur nec umquam ita defetigata errat ut non, quotiens dignum inuenerit, quasi ex pleno fluat.

XXIV

1. Sbaglia chi crede che donare sia facile; presenta anzi moltissime difficoltà, se si vuole distribuire con intelligenza e non a caso o d'impulso. Di uno mi guadagno la benevolenza, a un altro rendo il dovuto; a uno vengo in aiuto, di un altro ho pietà; quello lo aiuto perché merita di non essere mortificato e assillato dalla povertà; ad alcuni non darò nulla anche se sono nel bisogno perché, anche se darò, avranno bisogno ancora; ad altri invece offrirò o imporrò addirittura il dono. In questa materia non posso essere negligente: non faccio mai affari più vantaggiosi di quando regalo. 2. «Che cosa pensi?» mi si dirà. «Fai un dono, perché ti riprometti di averlo indietro?» No, perché mi riprometto di non perderlo: il dono deve essere posto in un luogo dal quale non debba essere richiesto, ma possa essere restituito. Un beneficio deve essere riposto come un tesoro, che si sotterra in profondità e si riporta alla luce solo in caso di necessità. 3. D'altronde, quante occasioni di fare del bene offre la casa di un ricco! Chi riserva la generosità solo verso la gente di rango? La natura mi impone di essere utile a tutti gli uomini; siano essi liberi o schiavi, nobili o affrancati, liberi di diritto o per amicizia: che differenza fa? Dovunque c'è un uomo, lì c'è l'occasione per un beneficio. Per questo, anche restando dentro casa, il sapiente può elargire il suo denaro ed esercitare la

4. Non est ergo quod perperam exaudiatis quae honeste fortiter animose a studiosis sapientiae dicuntur. Et hoc primum adtendite: aliud est studiosus sapientiae, aliud iam adeptus sapientiam. Ille tibi dicet: «optime loquor, sed adhuc inter mala uolutor plurima. Non est quod me ad formulam meam exigas: cum maxime facio me et formo et ad exemplar ingens attollo; si processero quantumcumque proposui, exige ut dictis facta respondeant». Adsecutus uero humani boni summam aliter tecum aget et dicet: «primum non est quod tibi permittas de melioribus ferre sententiam». Mihi iam, quod argumentum est recti, contigit malis displicere. 5. Sed ut tibi rationem reddam qua nulli mortalium inuideo, audi quid promittam et quanti quaeque aestimem. Diuitias nego bonum esse; nam si essent, bonos facerent: nunc, quoniam quod apud malos deprenditur dici bonum non potest, hoc illis nomen nego. Ceterum et habendas esse et utiles et magna commoda uitae adferentis fateor.

liberalità, la quale è chiamata così non perché sia dovuta ai liberi, ma perché nasce da un animo libero. Essa non viene mai concessa dal sapiente a persone vili e indegne, non si stanca mai, nel suo errare, di riversarsi generosamente sulle persone meritevoli in cui si imbatte.

4. Dunque, non interpretate male ciò che è detto con onestà, con forza, con coraggio da chi si interessa di filosofia. E in primo luogo prestate attenzione a questo fatto: altro è la persona che si interessa di filosofia, altro è la persona che ha già conseguito la saggezza. Quello ti dirà: «Parlo ottimamente, ma sono ancora pieno di moltissimi vizi. Non giudicarmi per quanto dico: perché cerco soprattutto di formarmi, di plasmarmi e di elevarmi verso un ideale nobilissimo. Se riuscirò ad arrivare là dove mi sono proposto, allora sì, potrai esigere che i miei atti corrispondano alle mie parole». Chi invece avrà già raggiunto il massimo della perfezione umana, ti parlerà diversamente e ti dirà: «innanzi tutto, non permetterti di giudicare persone che sono migliori di te». Questa è la prova della mia onestà: il non essere gradito ai disonesti. 5. Ma per darti la prova che non invidio nessuno, ascolta il mio proponimento e il valore che attribuisco alle cose. Affermo che la ricchezza non è un bene: infatti, se lo fosse, renderebbe buoni; ora, poiché non si può chiamare bene quello che si trova anche presso i malvagi, mi rifiuto di dare alle ricchezze questo nome. Però riconosco che bisogna averle, che sono utili e arrecano molti vantaggi alla vita.

XXV

1. Quid ergo sit quare illas non in bonis numerem, et quid praestem in illis aliud quam uos, quoniam inter utrosque conuenit habendas, audite. Pone in opulentissima me domo, pone ‹ubi› aurum argentumque in promiscuo usu sit: non suspiciam me ob ista quae, etiam si apud me, extra me tamen sunt. In Sublicium pontem me transfer et inter egentes abice: non ideo tamen me despiciam quod in illorum numero consedero qui manum ad stipem porrigunt. Quid enim ad rem an frustum panis desit cui non deest mori posse? Quid ergo est? Domum illam splendidam malo quam pontem. 2. Pone ‹in› instrumentis splendentibus et delicato apparatu: nihilo me feliciorem credam quod mihi molle erit amiculum, quod purpura conuiuis meis substernetur. Muta stragula mea: nihilo miserius ero si lassa ceruix mea in maniculo faeni adquiescet, si super Circense tomentum per sarturas ueteris lintei effluens incubabo. Quid ergo est? Malo quid mihi animi sit ostendere praetextatus et †causatus† quam nudis scapulis aut †sententis†. 3. Omnes mihi ex uoto dies cedant, nouae gratulationes prioribus subtexantur: non ob hoc mihi placebo. Muta in contrarium hanc indulgentiam temporis, hinc illinc percutiatur animus damno luctu incursionibus uariis, nulla hora sine aliqua querella sit: non ideo me dicam inter miserrima

XXV

1. E allora? Volete sentire perché io non considero le ricchezze un bene e che cosa trovo in esse di diverso da voi, anche se siamo entrambi d'accordo che bisogna possederle? Mettimi in una casa ricchissima, mettimi dove oro e argento siano d'uso comune: non insuperbirò per queste cose che, se anche stanno in casa mia, sono al di fuori di me. Conducimi ora al ponte Sublicio[8] e mettimi in mezzo ai mendicanti: non per questo mi disprezzerò, perché siederò fra coloro che stendono la mano all'elemosina. Che cosa importa infatti in sostanza se manca un tozzo di pane a chi non manca la possibilità di morire? Malgrado ciò, preferisco la casa splendida al ponte. 2. Mettimi in mezzo a mobili di lusso e ad arredi raffinati: non mi crederò in nulla più felice perché avrò un punto d'appoggio morbido, perché la porpora può essere stesa sotto i miei convitati. Cambia le mie coperte: non sarò affatto più infelice, se il capo stanco riposerà su una manciata di fieno, se mi appoggerò al saccone di crine da circo, che fuoriesce dai rammendi di un vecchio materasso. E con questo? Preferisco dire ciò che penso indossando la toga pretesta piuttosto che a spalle nude. 3. Scorrano pure tutti i giorni secondo i miei desideri

---

[8] *ponte Sublicio*: era il più antico ponte di Roma, dove spesso sostavano i mendicanti. Distrutto, nel 1918 fu edificato in luogo diverso un ponte che porta lo stesso nome.

miserum, non ideo aliquem execrabor diem; prouisum est enim a me ne quis mihi ater dies esset. Quid ergo est? Malo gaudia temperare quam dolores compescere. 4. Hoc tibi ille Socrates dicet: «fac me uictorem uniuersarum gentium, delicatus ille Liberi currus triumphantem usque ad Thebas a solis ortu uehat, iura reges †penatium† petant: me hominem esse maxime cogitabo, cum deus undique consalutabor. Huic tam sublimi fastigio coniunge protinus praecipitem mutationem; in alienum inponar fericulum exornaturus uictoris superbi ac feri pompam: non humilior sub alieno curru agar quam in meo steteram. Quid ergo est? Uincere tamen quam capi malo. 5. Totum fortunae regnum despiciam, sed ex illo, si dabitur electio, meliora sumam. Quidquid ad me uenerit bonum fiet, sed malo faciliora ac iucundiora ueniant et minus uexatura tractantem. Non est enim quod existimes ullam esse sine labore uirtutem, sed quaedam uirtutes stimulis, quaedam frenis egent. 6. Quemadmodum corpus in procliui retineri debet, aduersus ardua inpelli, ita quaedam uirtutes in procliui sunt, quaedam cliuum subeunt. An dubium est quin escendat nitatur obluctetur patientia fortitudo perseuerantia et quaecumque alia duris opposita uirtus est et fortunam subigit? 7. Quid ergo? Non aeque manifestum est per deuexum ire liberalitatem temperantiam mansuetudinem? In his continemus animum ne prolabatur, in illis exhortamur incitamusque acerrime. Ergo paupertati adhibebimus illas quae pugnare sciunt fortiores, diuitiis illas diligentiores quae suspensum gradum ponunt et pondus suum sustinent. 8. Cum hoc ita diuisum sit, malo has in usu mihi esse quae exercendae tranquillius sunt quam eas quarum experimentum sanguis et sudor est. Ergo non ego aliter»

e nuove gioie si aggiungano alle precedenti; non per questo sarò soddisfatto di me stesso. Cambia questa mia sorte fortunata; immagina che il mio animo sia dovunque colpito da disgrazia, lutti, sciagure di ogni genere, che non vi sia un'ora senza sofferenza: non per questo io mi dirò disgraziato in mezzo a cose disgraziatissime, non per questo maledirò un solo giorno, perché ho fatto in modo che nessun giorno possa essere nero per me. E con questo? Preferisco moderare la gioia più che reprimere i dolori. 4. Il grande Socrate ti dirà: «Fammi vincitore di tutte le genti, e l'elegante carro di Libero mi trasporti in trionfo dall'Oriente fino a Tebe, e i re mi chiedano le leggi: penserò di essere un uomo quando tutti mi saluteranno come un dio. Ora, da tale altezza fammi precipitare nel più profondo abisso, mi mettano in una lettiga di un altro per ornare il trionfo di un vincitore superbo e feroce: non mi sentirò più umile dietro il carro di un altro di quanto non lo fossi sul mio. 5. Ma con tutto ciò, preferisco essere vincitore che prigioniero. Disprezzerò tutto il potere della sorte ma, se potrò, sceglierò il meglio. Tutto quello che mi capiterà sarà per me un bene, ma preferisco che capitino cose più facili, più gradevoli e che procurino il minor numero di disagi». Non credere infatti che ci sia qualche virtù senza fatica, ma certe virtù hanno bisogno di stimoli, certe altre di freni. 6. Come il corpo dev'essere trattenuto in discesa e spinto in salita, così alcune virtù vanno in discesa, altre affrontano la salita. Credi forse che la pazienza, la fortezza e la perseveranza e tutte le altre virtù che si oppongono alle avversità e tentano di piegare la sorte non comportino fatica, sforzo e resistenza? 7. Non è altrettanto evidente che invece la liberalità, la temperanza, la dolcezza vanno in discesa? Possiamo esercitare queste virtù frenando l'animo, perché non scivoli

inquit sapiens «uiuo quam loquor, sed uos aliter auditis; sonus tantummodo uerborum ad aures uestras peruenit: quid significet non quaeritis».

giù; per praticare le altre, invece, lo esortiamo e sproniamo con tutta la nostra energia. Pertanto per la povertà useremo quelle virtù che sanno combattere, che sono più forti; per la ricchezza quelle altre più caute, che camminano in punta di piedi e reggono bene il loro peso. 8. Stabilita questa divisione, preferisco avere a che fare con quelle virtù che richiedono tranquillità piuttosto che con le altre, che ti costano sudore e sangue. «Pertanto» dice il saggio «non vivo diversamente da come parlo, ma voi ascoltate diversamente; solo il suono delle mie parole giunge alle vostre orecchie, ma voi non ne cercate il significato».

XXVI

1. «Quid ergo inter me stultum et te sapientem interest, si uterque habere uolumus?» Plurimum: diuitiae enim apud sapientem uirum in seruitute sunt, apud stultum in imperio; sapiens diuitiis nihil permittit, uobis diuitiae omnia; uos, tamquam aliquis uobis aeternam possessionem earum promiserit, adsuescitis illis et cohaeretis, sapiens tunc maxime paupertatem meditatur cum in mediis diuitiis constitit. 2. Numquam imperator ita paci credit ut non se praeparet bello quod, etiam si non geritur, indictum est: uos domus formonsa, tamquam nec ardere nec ruere possit, insolentes, uos opes, tamquam periculum omne transcenderint maioresque sint uobis quam quibus consumendis satis uirium habeat fortuna, obstupefaciunt. 3. Otiosi diuitiis luditis nec prouidetis illarum periculum, sicut barbari plerumque inclusi et ignari machinarum segnes laborem obsidentium spectant nec quo illa pertineant quae ex longinquo struuntur intellegunt. Idem uobis euenit: marcetis in uestris rebus nec cogitatis quot casus undique immineant iam iamque pretiosa spolia laturi. Sapientis quisquis abstulerit diuitias, omnia illi sua relinquet; uiuit enim praesentibus laetus, futuri securus. 4. «Nihil magis» inquit ille Socrates aut aliquis alius cui idem ‹adfectus› aduersus humana atque eadem potestas est «persuasi mihi quam ne ad opiniones uestras actum uitae meae

XXVI

1. «Che differenza c'è dunque fra me stolto e te saggio, se entrambi vogliamo possedere?» Moltissima: la ricchezza in casa del saggio è una schiava, in casa dello stolto fa da padrona; alla ricchezza il saggio non concede nulla, voi invece le concedete tutto; voi, pensando che le ricchezze vi siano state promesse per sempre, vi ci abituate e vi ci attaccate: il sapiente, invece, proprio quando sta in mezzo alle ricchezze, pensa alla povertà. 2. Un generale non si fida mai della pace al punto da non prepararsi alla guerra, che, se non è ancora combattuta, è stata però dichiarata: voi invece siete resi insolenti da una bella casa, come se non potesse andare in fiamme o crollare, e perdete la testa per delle ricchezze, quasi fossero al di là di ogni pericolo e tanto grandi che la fortuna non abbia sufficienti forze per distruggerle. 3. Abbandonandovi all'ozio ve la spassate con la ricchezza senza prevedere i pericoli incombenti, come certi barbari assediati e ignari delle macchine da guerra stanno a guardare inerti il lavoro degli assedianti senza capire a che cosa serviranno quelle costruzioni che si preparano in lontananza. La stessa cosa capita a voi: marcite nelle cose vostre, e non pensate quante disgrazie vi possono capitare e si preparano a portarsi via, al più presto, un prezioso bottino. Chiunque toglierà al saggio le ricchezze gli lascerà tutti i suoi beni, perché egli vive lieto del presente e senza pensiero del futuro.

flecterem. Solita conferte undique uerba: non conuiciari uos putabo sed uagire uelut infantes miserrimos.» 5. Haec dicet ille cui sapientia contigit, quem animus uitiorum immunis increpare alios, non quia odit, sed in remedium iubet. Adiciet his illa: «existimatio me uestra non meo nomine sed uestro mouet, quia †clamitatis† odisse et lacessere uirtutem bonae spei eiuratio est. Nullam mihi iniuriam facitis, sed ne dis quidem hi qui aras euertunt. Sed malum propositum apparet malumque consilium etiam ibi ubi nocere non potuit. 6. Sic uestras halucinationes fero quemadmodum Iuppiter optimus maximus ineptias poetarum, quorum alius illi alas inposuit, alius cornua, alius adulterum illum induxit et abnoctantem, alius saeuum in deos, alius iniquum in homines, alius raptorem ingenuorum et cognatorum quidem, alius parricidam et regni alieni paternique expugnatorem: quibus nihil aliud actum est quam ut pudor hominibus peccandi demeretur, si tales deos credidissent. 7. Sed quamquam ista me nihil laedant, uestra tamen uos moneo causa: suspicite uirtutem, credite iis qui illam diu secuti magnum quiddam ipsos et quod in dies maius appareat sequi clamant, et ipsam ut deos ac professores eius ut antistites colite et, quotiens mentio sacrarum litterarum interuenerit, fauete linguis. Hoc uerbum non, ut plerique existimant, a fauore trahitur, sed imperat silentium ut rite peragi possit sacrum nulla uoce mala obstrepente; quod multo magis necessarium est imperari uobis, ut quotiens aliquid ex illo proferetur oraculo, intenti et compressa uoce audiatis. 8. Cum sistrum aliquis concutiens ex imperio mentitur, cum aliquis secandi lacertos suos artifex brachia atque umeros suspensa manu cruentat, cum aliqua genibus per uiam repens ululat laurumque linteatus senex et medio lucernam die praeferens

4. «La mia grande convinzione» dirà il grande Socrate, o un altro con la stessa autorità e potere sulle cose umane «è di non modellare la mia vita sulle vostre opinioni. Ripetete pure le vostre solite chiacchiere: non penserò mai che voi mi insultiate, ma solo che, come poveri neonati, emettete vagiti infantili». 5. Così parlerà colui che ha avuto il dono della saggezza, al quale l'animo libero da vizi impone di rimproverare gli altri non perché li odia, ma perché vuole correggerli. E aggiungerà: «Il vostro giudizio mi preoccupa, non per me, ma per voi; perché se odiate e imprecate contro la virtù, allora non vi resta speranza di miglioramento. A me non fate nessuna ingiuria, come non la fanno agli dèi quelli che distruggono gli altari. Ma il proposito perverso e le cattive intenzioni appaiono anche se non hanno potuto nuocere. 6. Così sopporto le vostre allucinazioni, come Giove Ottimo Massimo le sciocchezze dei poeti, dei quali uno gli impose le ali, un altro le corna, un altro lo presentò come adultero che va in giro di notte, un altro crudele verso gli dèi, un altro ingiusto verso gli uomini, un altro rapitore di giovani e addirittura di parenti, un altro parricida e usurpatore del regno paterno: costoro, con queste storie, non fecero altro che togliere agli uomini il senso del peccato, se questi erano gli dèi ai quali credevano. 7. Sebbene tutte queste cose non mi tocchino affatto, tuttavia vi ammonisco nel vostro interesse: ammirate la virtù, credete a quelli che, avendola perseguita a lungo, sostengono di seguire un grande ideale che di giorno in giorno si rivela sempre più grande. Veneratela come una divinità e coloro che la praticano come sacerdoti; e quando sentirete citare i testi sacri, rimanete in religioso silenzio. La formula di rito non suggerisce, come credono i più, di chiedere favori, ma intima il silenzio, perché possa essere compiuto secondo il rito il

conclamat iratum aliquem deorum, concurritis et auditis ac diuinum esse eum, inuicem mutuum alentes stuporem, adfirmatis.»

sacrificio senza che alcuna voce sacrilega lo turbi: tale ordine vi deve essere impartito perché, ogni qualvolta l'oracolo si pronuncerà, lo ascoltiate con attenzione e a bocca chiusa. 8. Quando qualcuno, agitando il sistro, grida menzogne che gli sono ordinate; quando qualcuno, esperto nell'arte di tagliare i propri muscoli, fa sanguinare, con mano leggera, braccia e spalle; quando una donna, trascinandosi in ginocchio per la strada, urla, e un vecchio, bardato di lino e di alloro e con in mano una lucerna in pieno giorno, grida che qualcuno degli dèi è irato, accorrete in massa, e ascoltate, e affermate che quello è ispirato dalla divinità, riempiendosi reciprocamente di stupore».

XXVII

1. Ecce Socrates ex illo carcere quem intrando purgauit omnique honestiorem curia reddidit proclamat: «qui iste furor, quae ista inimica dis hominibusque natura est infamare uirtutes et malignis sermonibus sancta uiolare? Si potestis, bonos laudate, si minus, transite; quod si uobis exercere taetram istam licentiam placet, alter in alterum incursitate. Nam cum in caelum insanitis, non dico sacrilegium facitis sed operam perditis. 2. Praebui ego aliquando Aristophani materiam iocorum, tota illa comicorum poetarum manus in me uenenatos sales suos effudit: inlustrata est uirtus mea per ea ipsa per quae petebatur; produci enim illi et temptari expedit, nec ulli magis intellegunt quanta sit quam qui uires eius lacessendo senserunt: duritia silicis nullis magis quam ferientibus nota est. 3. Praebeo me non aliter quam rupes aliqua in uadoso mari destituta, quam fluctus non desinunt, undecumque moti sunt, uerberare, nec ideo aut loco eam mouent aut per tot aetates crebro incursu suo consumunt. Adsilite, facite impetum: ferendo uos uincam. In ea quae firma et inexsuperabilia sunt quidquid incurrit malo suo uim suam exercet: proinde quaerite aliquam mollem cedentemque materiam in qua tela uestra figantur.

4. Vobis autem uacat aliena scrutari mala et sententias ferre de quoquam? "Quare hic philosophus laxius habitat?

XXVII

1. Ecco che Socrate, da quel carcere che egli, entrandoci, purificò e rese più rispettabile di ogni curia, proclama: «Che cos'è questa follia, questa cattiveria contro gli dèi e gli uomini di infamare la virtù e profanare, con le vostre malignità, tutto ciò che è sacro? Se ne siete capaci, lodate i buoni, in caso contrario, passate oltre; se poi vi divertite a esercitare una così ignobile libertà, scagliatevi l'uno contro l'altro, perché quando impazzite contro il cielo, non dico che fate sacrilegio, ma certo perdete il vostro tempo. 2. Io offrii un tempo ad Aristofane materia di scherzi, tutta quella schiera di poeti comici effuse contro di me i propri sali avvelenati: la mia virtù fu messa in luce proprio da quei colpi che dovevano ferirla; alla virtù conviene essere portata in pubblico ed essere messa alla prova, e nessuno ne capisce la grandezza meglio di quelli che, contestandola, ne misurarono la potenza: nessuno meglio degli scalpellini conosce la durezza della selce. 3. Io mi offro come uno scoglio solitario in un mare poco profondo che i flutti, con i loro assalti secolari, flagellano da ogni parte senza riuscire a smuoverlo e a logorarlo. Attaccatemi pure, assalitemi: io vi vincerò sopportandovi. Tutti coloro che si slanciano contro ostacoli irremovibili e insuperabili sprecano invano le loro forze. Cercate invece un ostacolo meno duro e più cedevole per bersagliare con le vostre frecce.

Quare hic lautius cenat?" Papulas obseruatis alienas, obsiti plurimis ulceribus? Hoc tale est quale si quis pulcherrimorum corporum naeuos aut uerrucas derideat quem foeda scabies depascitur. 5. Obicite Platoni quod petierit pecuniam, Aristoteli quod acceperit, Democrito quod neglexerit, Epicuro quod consumpserit; mihi ipsi Alcibiaden et Phaedrum obiectate, †o uos usu† maxime felices, cum primum uobis imitari uitia nostra contigerit. 6. Quin potius mala uestra circumspicitis, quae uos ab omni parte confodiunt, alia grassantia extrinsecus, alia in uisceribus ipsis ardentia? Non eo loco res humanae sunt, etiam si statum uestrum parum nostis, ut uobis tantum otii supersit ut in probra meliorum agitare linguam uacet».

4. A voi piace scrutare i mali altrui, e dar giudizi su tutti: "Perché questo filosofo ha una casa più larga del necessario? Perché costui cena con troppo lusso?" Osservate i foruncoli degli altri e non guardate alle vostre piaghe. Siete come chi, divorato da una rogna terribile, deridesse i piccoli difetti di un corpo bellissimo. 5. Rinfacciate a Platone di aver chiesto denaro, ad Aristotele di averlo ricevuto, a Democrito di non essersene curato, a Epicuro di averlo consumato; a me rinfacciate Alcibiade e Fedro,[9] eppure sareste ben felici di imitare, se vi riuscisse, i miei vizi! 6. Perché piuttosto non guardate ai vostri mali, che vi opprimono da ogni parte assalendovi dall'esterno o bruciandovi dall'interno? La vostra situazione è tale, anche se non vi rendete conto del vostro stato, da non permettervi di calunniare chi è migliore di voi».

---

[9] *a me rinfacciate... Fedro*: non risulta chiaro l'oggetto del riprovero, che forse allude al rapporto pederastico o omosessuale, molto comuni nel mondo greco. Alcibiade e Fedro sono discepoli di Socrate.

XXVIII

1. Hoc uos non intellegitis et alienum fortunae uestrae uultum geritis, sicut plurimi quibus in circo aut theatro desidentibus iam funesta domus est nec adnuntiatum malum. At ego ex alto prospiciens uideo quae tempestates aut immineant uobis paulo tardius rupturae nimbum suum aut iam uicinae uos ac uestra rapturae propius accesserint. Quid porro? Nonne nunc quoque, etiam si parum sentitis, turbo quidam animos uestros rotat et inuoluit fugientes petentesque eadem et nunc in sublime adleuatos nunc in infima adlisos cir * * * ?

XXVIII

1. Questo non lo capite e vi date un'aria che proprio è sconveniente al vostro stato, come quelli (e sono molti) che si divertono al circo o a teatro, senza sapere che la loro casa è stata colpita da una sciagura. Ma io, che osservo dall'alto, vedo le tempeste che si stanno accumulando sul vostro capo, pronte a scoppiare da un momento all'altro, e vi sono ormai vicine e finiranno per travolgere voi e le vostre case. Che dico! Anche ora, anche se non ve ne siete ancora accorti, un ciclone non avvolge forse e travolge i vostri animi, che fuggono e desiderano sempre le stesse cose e vengono ora sollevati in alto, ora sprofondati nell'abisso?

Epicuro
e il suo tempo

	LA VITA E LE OPERE	STORIA, ARTE, SCIENZA E LETTERATURA
341-328 a.C.	Nasce a Samo, dove il padre Neocle era stato inviato come colono da Atene, sua città natale. Vi resterà fino a quattordici anni. È iniziato al pensiero platonico dal filosofo Panfilo.	341: Timoleonte vince i Cartaginesi presso il Crimiso (Sicilia). Filippo II, re di Macedonia dal 359 al 336, minaccia Bisanzio. 340: Atene dichiara guerra a Filippo, ma è sconfitta nel 338. 332: Alessandro Magno (nato nel 356) conquista l'Egitto.
327-324 a.C.	A Teo segue lezioni di Nausifane, discepolo di Democrito.	325: inizia il periodo del primo ellenismo (fino al 230).
323-321 a.C.	Si trasferisce ad Atene per svolgere il servizio militare, il cosiddetto "efebato" richiesto agli abitanti di Samo. È probabile che in questi anni segua le lezioni di Senocrate presso l'Accademia platonica. 322: il padre, maestro di scuola a Samo, si sposta a Colofone. 321: raggiunge il padre a Colofone.	323: muore Alessandro Magno: conflitti tra i generali (diadochi) per raccogliere la sua eredità. Scoppia la guerra lamiaca (ellenica): le *póleis* greche si ribellano ai macedoni, ma sono sconfitte. 322: muoiono Demostene e Aristotele. 321: viene rappresentata la commedia di Menandro, *Il punitore di se stesso.*
311 a.C.	Si reca a Mitilene, dove fonda la sua prima scuola.	Scoppia una guerra tra Etruschi e Romani.
309 a.C.	Si sposta a Lampsaco, forse per aver aderito alla ribellione di Tolomeo contro il generale macedone Antigono Monoftalmo, re di Macedonia. Qui fonda un'altra scuola, dopo essersi riconciliato, grazie all'amicizia di Cratero, con la corte macedone.	Cassandro I, re di Macedonia, nomina Poliperconte stratego del Peloponneso in cambio dell'assassinio di Eracle, figlio illegittimo di Alessandro. Il filosofo Dicearco di Messina introduce il concetto di parallelo in geografia.
306-305 a.C.	Rientra ad Atene, ma resta in contatto con i discepoli di Lampsaco, come testimoniano i viaggi a Samo e le lettere inviate agli allievi. Acquista la casa dove stabilisce la sua terza scuola: il "Giardino".	306: Antigono Monoftalmo prende Atene e si proclama re per ricostituire l'impero di Alessandro Magno. 305: il generale macedone Tolomeo Sotere diventa re d'Egitto.

	LA VITA E LE OPERE	STORIA, ARTE, SCIENZA E LETTERATURA
295-294 a.C.	Mentre Demetrio Poliorcete assedia Atene, garantisce la sussistenza ai suoi discepoli: molti muoiono per epidemie e privazioni.	300 ca.: ad Atene Zenone di Cizio fonda lo Stoicismo. 294: Demetrio controlla la Macedonia.
291 a.C.	Muore il giovane Pitocle, destinatario della lettera sulla conoscenza. Le altre sono a Meneceo sulla felicità e a Erodoto sulla scienza.	Ad Alessandria di Egitto, il medico Erofilo di Calcedonia scopre la differenza tra arterie e vene.
286 a.C.	Muore il filosofo Polieno di Lampsaco, suo discepolo.	In Cina muore il filosofo taoista Chuang-tzu.
285-282 a.C.	Gli epicurei Mitre e Idomeneo sono i dignitari di Lisimaco, re di Macedonia e Asia Minore: il "Giardino" ottiene sostegno.	283: Tolomeo II è re d'Egitto. 282: Roma interviene contro i Lucani per difendere Turii.
281 a.C.	Alla morte di Lisimaco, Mitre è imprigionato da Cratero, nuovo governatore del Peloponneso: Epicuro cerca di ottenerne la liberazione sfruttando l'antico legame d'amicizia con Cratero.	Lisimaco è ucciso nella battaglia di Curupedio da Seleuco I, che viene a sua volta assassinato da Tolomeo Cerauno. Alla guida dell'impero seleucide gli succede Antioco I.
280-279 a.C.	Mantiene buoni rapporti con la corte macedone.	280: i Romani si scontrano con Taranto e Pirro, re dell'Epiro.
277 a.C.	Muore il filosofo Metrodoro, discepolo di Epicuro.	Muore Sostene, re della Macedonia.
276-274 a.C.	Diventa re di Macedonia Antigono Gonata, le cui simpatie vanno alla scuola della Stoà: il circolo epicureo è osteggiato e ingiuriato.	275: i Romani sconfiggono Pirro nella battaglia di Benevento. 274: muore Pirrone di Elide, fondatore dello scetticismo.
271/270 a.C.	Muore di calcoli renali dopo un lungo periodo di invalidità fisica. Alla guida della scuola gli succede Ermarco di Mitilene.	270: i Romani sono padroni dell'Italia, esclusa la regione Cisalpina. La via Appia viene prolungata fino a Brindisi.

Seneca
e il suo tempo

	LA VITA E LE OPERE	STORIA, ARTE, SCIENZA E LETTERATURA
4 a.C. ca.	Nasce a Cordova, figlio di Seneca il Vecchio e di Elvia, entrambi membri dell'aristocrazia romana.	Il principe Ottaviano Augusto adotta Tiberio come suo successore.
14-15	Si trasferisce a Roma con i fratelli Anneo Novato e Anneo Mela. Frequenta maestri di retorica e filosofia, quali lo stoico Attalo, Sozione e Papiro Fabiano, appartenenti alla setta stoico-pitagorica dei Sestii, e il cinico Demetrio.	14: muore Ottaviano Augusto e diventa imperatore Tiberio. 14-16: spedizioni militari di Germanico per consolidare la barriera lungo la linea del Reno e per riscattare la sconfitta di Varo.
17-30	Si reca in Egitto, forse per motivi di salute. È ospite di una zia materna, moglie del prefetto in carica di quella provincia. Frequenta l'ambiente del Museo, ad Alessandria. Termina gli studi. Scrive l'opera andata perduta *Geografia e religione dell'Egitto*.	17: muore Publio Ovidio Nasone, autore delle *Metamorfosi*. Tito Livio termina la sua *Storia di Roma dalla sua fondazione*. 23: nasce lo scrittore e naturalista Plinio il Vecchio. 26: Ponzio Pilato diventa prefetto in Giudea.
31	Torna a Roma. Grazie alla sua preparazione retorica e filosofica riscuote successo nella vita politica e forense della città.	Seiano, prefetto dei pretoriani, è condannato a morte. Tiberio decide di sostituirlo con Macrone.
38-40	38: diventa questore sotto Caligola e nello stesso anno si sposa. 39: un suo discorso suscita l'invidia e il risentimento dell'imperatore che decide di condannarlo a morte: a salvarlo è un'amante del principe che intercede per lui. In questi anni scrive il dialogo *L'ira* e la *Consolazione a Marzia*.	38: muore l'imperatore Tiberio. 39 ca: nasce il poeta Marco Valerio Marziale. 40: il filosofo Filone d'Alessandria è a capo di un'ambasceria a Roma per contestare le dure condizioni di vita degli Ebrei nella sua città natale.
41	È accusato di adulterio con Giulia Livilla, sorella di Caligola e nipote dell'imperatore Claudio. Muore il figlio. Su istigazione di Messalina, moglie dell'imperatore, è confinato in Corsica; Giulia sarà prima esiliata e poco dopo messa a morte.	Caligola viene assassinato dai pretoriani: suo zio Claudio diventa imperatore. Erode Agrippa I è re della Giudea e della Samaria. Claudio concede libertà religiosa agli Ebrei nei territori dell'Impero.

	LA VITA E LE OPERE	STORIA, ARTE, SCIENZA E LETTERATURA
42-48	Durante l'esilio in Corsica scrive le due *Consolazioni* alla madre Elvia e a Polibio, i dialoghi *La provvidenza, La costanza del sapiente*, le tragedie *Agamennone, Tieste, Le troiane, La follia di Ercole, Ercole Eteo*.	43: inizia la conquista romana della Britannia: viene fondata Londinium (Londra). 46 ca.: nasce il filosofo e storico Plutarco. 47: il collegio sacerdotale degli aruspici viene ricostituito.
49-53	Agrippina minore ottiene il suo ritorno dall'esilio a Roma e lo sceglie come precettore per il figlio avuto dal precedente matrimonio, Nerone. Scrive il trattato *Questioni naturali*.	49: dopo la morte di Messalina, Claudio sposa la propria nipote Agrippina minore. 50: Claudio adotta Nerone. 53: Paolo di Tarso inizia il suo apostolato epistolare.
54-58	54: scrive la menippea *Satira sulla morte di Claudio*. Con il prefetto del pretorio Afranio Burro è consigliere dell'imperatore Nerone che regna, in questi cinque anni, con buonsenso e discernimento. Scrive il trattato *La clemenza* e le tragedie *Fedra, Medea* e *Edipo re*.	54: Nerone diventa imperatore. Espulsione dei Giudei da Roma. 55: nasce il poeta Decimo Giunio Giovenale. 56: nasce lo storico Publio Cornelio Tacito. 58: L'apostolo Paolo è arrestato a Gerusalemme, ma ottiene di essere processato a Roma.
59-61	I rapporti con l'imperatore diventano sempre più tesi: si allontana gradualmente dalla vita pubblica.	59: Nerone fa uccidere la madre. 60 ca: Tito Petronio Nigro scrive il *Satyricon*.
62-64	Ritiratosi dalla vita pubblica, si dedica completamente ai propri studi. In questi anni scrive le *Lettere morali a Lucilio*, i dialoghi *L'ozio, La vita felice, La tranquillità dell'animo, La brevità della vita* e i trattati *Questioni naturali* e *Sui benefici*.	62: muore il poeta Aulo Persio Flacco, autore delle *Satire*. 64: scoppia un grande incendio a Roma a cui seguono violente persecuzioni contro i cristiani. Iniziano i lavori per la costruzione della Domus Aurea.
65	Viene accusato di aver partecipato alla congiura del patrizio Pisone contro l'imperatore. Costretto da Nerone al suicidio, si toglie la vita assieme alla moglie Paolina, la quale però è soccorsa in tempo e gli sopravvive.	La congiura di Gaio Calpurnio Pisone viene scoperta da Nerone grazie alla delazione del liberto Milico. Tra i congiurati figura anche il poeta Marco Anneo Lucano, che si suicida.

Indice

PASSEPARTOUT

14. Emily Brontë
Cime tempestose
Introduzione di Margherita Ghilardi

15. Arthur Rimbaud
Una stagione all'inferno
Poesie – Illuminazioni
Introduzione e traduzione
di Alessandro Quattrone

16. Imitazione di Cristo
Introduzione di Stella Morra
Nuova traduzione di Alessandro Quattrone

17. Italo Svevo
La coscienza di Zeno
Introduzione di Luigi Fontanella

18. Edgar Allan Poe
I delitti della Rue Morgue
Il mistero di Marie Rogêt
Introduzione di Alessandro Raveggi
Nuova traduzione di Alessandro Ceni

19. Gabriele d'Annunzio
Il Piacere
Introduzione di Matteo Marchesini

20. Lewis Carrol
Le avventure di Alice nel Paese
delle Meraviglie –
Attraverso lo specchio
Traduzione di Elda Bossi
Revisione e introduzione di Luca Scarlini

21. Epicuro – Seneca
Lettera sulla felicità – La vita felice
Testo greco e latino a fronte
Introduzione di Giuseppe Dino Baldi

22. Voltaire
Candido o L'ottimismo
Trattato sulla tolleranza
Introduzione di Paolo Di Paolo

23. Marco Aurelio
Colloqui con sé stesso
Introduzione di Martino Menghi
Nuova traduzione di Luca Civitavecchia

24. Galileo Galilei
Lettere copernicane – Sentenza e abiura
Testo italiano corrente a fronte
Introduzione di Roberto Carnero

25. Giovanni Verga
I Malavoglia
Introduzione di Giuseppe Iannaccone

26. Sun Tzu (Sunzi)
L'arte della guerra
Introduzione di Antonio Franchini
Nuova traduzione di Miriam Castorina

27. Jane Austen
Emma
Introduzione di Francesca Matteoni
Nuova traduzione di Alessandro Ceni

28. Fëdor Dostoevskij
Le notti bianche – L'eterno marito
Introduzione di Stefano Garzonio

29. William Shakespeare
In love
Scelta, cura e traduzione di Roberto Mussapi

30. Søren Kierkegaard
Diario del seduttore
Introduzione di Susanna Mati
Nuova traduzione di Alessandro Quattrone

31. Ugo Foscolo
Ultime lettere di Jacopo Ortis
Introduzione di Massimo Onofri

32. Johann Wolfgang Goethe
I dolori del giovane Werther
Introduzione di Ignazio Tarantino

33. Friedrich Nietzsche
Così parlò Zarathustra
Introduzione di Lorenzo Chiuchiù

34. Teresa d'Avila
Il Castello interiore
Introduzione di Adriana Valerio

35. Agostino di Ippona
Confessioni
Introduzione di Cristina Simonelli
Nuova traduzione di Elena Frontaloni

36. Jane Austen
Orgoglio e pregiudizio
Introduzione di Elena Stancanelli

37. Rabindranath Tagore
Gitanjali. Canti in offerta
Introduzione di Andrea Sirotti

PASSEPARTOUT

38. Johann Wolfgang Goethe
Le affinità elettive
Introduzione di Maria Tosca Finazzi

39. Arthur Conan Doyle
Uno studio in rosso
Introduzione di Enrico Solito

40. Karl Marx, Friedrich Engels
Manifesto del Partito comunista
Introduzione di Filippo La Porta

41. Emily Dickinson
Poesie
Introduzione di Franco Buffoni
Traduzione di Alessandro Quattrone

42. Edgar Allan Poe
Le avventure di Gordon Pym
Introduzione e traduzione
di Gloria Fossi

43. Tommaso Moro
Utopia
Introduzione di Danilo Breschi

44. Grazia Deledda
Canne al vento
Introduzione di Gian Mario Villalta

45. James Joyce
Gente di Dublino
Introduzione di Luca Doninelli
Nuova traduzione di Stefano Bortolussi

46. Oscar Wilde
De profundis
La ballata del carcere di Reading
Introduzione di Andrea Sirotti

47. Paul Verlaine
Poesie d'amore
Introduzione di Giancarlo Pontiggia

48. Joseph Conrad
Cuore di tenebra
Introduzione di Gloria Fossi
Nuova traduzione
di Mario Curreli

49. Michail Bulgakov
Il Maestro e Margherita
Introduzione di Stefano Massini
Nuova traduzione di Caterina Garzonio

50. Charles Baudelaire
I fiori del male
Introduzione di Renzo Paris
Traduzione di Cosimo Ortesta

51. Edgar Lee Masters
Antologia di Spoon River
Introduzione di Maria Grazia Calandrone
Traduzione di Alessandro Quattrone

52. Gustave Flaubert
Madame Bovary
Introduzione di Pasquale Di Palmo

53. Leonardo da Vinci
Trattato della pittura
(Libro di pittura)
Introduzione di Rodolfo Papa
Testo a cura di Carlo Pedretti e Carlo Vecce

54. Giovanni Verga
Mastro-don Gesualdo
Introduzione di Silvia Zoppi Garampi

55. Robert Louis Stevenson
Lo strano caso del Dr. Jekyll
e di Mr Hyde
Introduzione di Gloria Fossi
Traduzione di Luciana Pirè

56. Giacomo Leopardi
Canti
Introduzione di Stefano Dal Bianco
Commento di Francesco Capaldo

57. Franz Kafka
Il processo
Introduzione di Simone Lenzi

58. Sigmund Freud
L'interpretazione dei sogni
Introduzione di Giuseppe Montesano

59. Nicolò Machiavelli
Il Principe
Introduzione di Filippo La Porta
Testo in italiano corrente a fronte

60. Jerome Klapka Jerome
Tre uomini in barca
(per non parlar del cane)
Introduzione di Guido Sgardoli